CUENTOS PARA DORMIR

Silver Dolphin
en español

ÍNDICE

LA BELLA DURMIENTE
Aurora y la corona de diamantes 1

LA BELLA Y LA BESTIA
La tertulia de Bella 19

LA CENICIENTA
Una boda perfecta 31

ALADDÍN
El verdadero amor 49

BLANCA NIEVES Y LOS SIETE ENANOS
El pequeño oso 67

LA SIRENITA
Una canción especial 85

LA BELLA Y LA BESTIA
Pídelo por favor 103

LA BELLA DURMIENTE
En sus marcas, listas... ¡lancen! 119

LA CENICIENTA
Los ratones perdidos 135

ALADDÍN
El día nevado de Jasmín 153

LA PRINCESA Y EL SAPO
El invitado sorpresa de Tiana 163

LA SIRENITA
Sueños bajo el mar 179

BLANCA NIEVES Y LOS SIETE ENANOS
Una mañana desordenada 197

LA BELLA Y LA BESTIA
Cómo conocerse mejor 209

LA BELLA DURMIENTE
Un momento memorable 227

ALADDÍN
Una sorpresa mágica 245

BLANCA NIEVES Y LOS SIETE ENANOS
Un mismo corazón 255

LA SIRENITA
Ariel y la carrera de caballos marinos 273

LA CENICIENTA
El anillo perdido 283

Publicado anteriormente como *Happily Ever After Stories*

Importado, publicado y editado en México en 2017 por / Imported, published and edited in Mexico in 2017 by:
Advanced Marketing, S. de R.L. de C.V.
Calz. San Francisco Cuautlalpan No. 102 Bodega "D", Col. San Francisco Cuautlalpan,
Naucalpan de Juárez, Edo. de México, C.P. 53569

Traducción / Translation: Samantha Caballero del Moral
Título original / Original title: Princess Bedtime Stories / Disney Princesa. Cuentos para dormir

Fabricado e impreso en China en diciembre de 2016 por / Manufactured and printed in China on December 2016 by: Toppan Leefung Printing Limited.
20/F, 169 Electric Road, Northpoint, Hong Kong, China

ISBN: 978-607-618-528-5
17 16 15 14 13 12 11 10 9 8 7 6 5 4 3

La Bella Durmiente

Aurora y la corona de diamantes

Una soleada mañana, Aurora despertó de un humor excelente.
Era el día en que cumplía diecisiete años y estaba ansiosa por ver las
maravillosas sorpresas que le tenían planeadas para ese día.
Por suerte, no tuvo que esperar mucho.

—Feliz cumpleaños, querida —le dijo la Reina.

Aurora le sonrió a su madre. Notó que la Reina llevaba puesta una corona poco común. En el centro tenía un enorme diamante rosado con forma de corazón, rodeado por más diamantes, diminutos y resplandecientes.

—¡Madre! —exclamó Aurora—. ¡Qué hermosa corona! ¿Es nueva?

—De hecho —respondió la Reina—, es bastante vieja. Y es la razón por la que he venido a verte tan temprano en este día tan especial.

3

La Reina tomó a Aurora de la mano y la condujo por el castillo, hasta el gran pasaje de los retratos. Estaba lleno de retratos, cada uno de una joven princesa que usaba una corona justo como la que la Reina llevaba.

—¡Madre! —exclamó Aurora al tiempo que señalaba el retrato más cercano—. ¿Esa eres tú?

—Así es —respondió la Reina—. La pintaron cuando cumplí diecisiete años. Verás, Aurora, es tradición de nuestro reino que cuando una princesa cumple diecisiete años, su madre le haga entrega de esta corona, que deberá usar hasta que ella también se convierta en reina.

4

–¡Oh! ¡Madre! –exclamó Aurora–. ¿Realmente será mía esa corona?

–Bueno –respondió su madre con una sonrisa–, ¡espero que sí! Pero, según la tradición, primero debes ganártela.

–¿Cómo? –preguntó Aurora.

–Encontrando la respuesta a tres adivinanzas –le explicó su madre.

En ese momento llegaron volando las tres hadas buenas: Flora, Fauna y Primavera.

–¡Feliz cumpleaños, princesa! –dijo Primavera–. Hemos venido a decirte las tres adivinanzas.

–Sí, ¡feliz cumpleaños! –añadieron Flora y Fauna.

Luego la Reina besó a Aurora.
–Piensa con cuidado, querida mía. ¡Y buena suerte!

Con un movimiento de sus varitas mágicas, las hadas se transportaron junto con Aurora a los jardines del palacio. Entonces Flora se adelantó y recitó la primera adivinanza:

–*Un placer para la vista, una delicia para el olfato.*

Pero ¡cuidado! Para las manos puede ser un mal rato.

Aunque pocos la prueban, su dulzura es fabulosa

La respuesta de esta adivinanza es una...

–Humm... –dijo Aurora cuando Flora terminó.

–¡Oh! ¡Yo sé! –dijo Primavera.

–Claro que lo sabes –la riñó Fauna– ¡Aurora es la que tiene que adivinar!

–¿Sabes la respuesta, querida? –preguntó Flora.

–Veamos –dijo Aurora–. "Un placer para la vista"... de modo que es algo bonito... . "Una delicia para el olfato", así que huele bien. "Para las manos... puede ser un mal rato", así que debe lastimar... como una espina en una rosa. Eso es, ¿no es cierto?

Y se apresuró al jardín, donde eligió la rosa más grande que pudo encontrar.

–¡Muy bien! –exclamó Fauna–. Y ahora la segunda adivinanza:

Algunos lo plantan y otros lo roban con alegría,

Hay quienes lo dan varias veces al día.

Los tímidos se sonrojan al recibirlo

y en las manos o en las mejillas sentirlo. ¿Adivinas qué será eso?

Es un ____.

–Bueno... –dijo Aurora, pensando–. Si "Algunos lo plantan" podría ser otra flor, un diente de león, ¡tal vez? También se pueden soplar. Pero... ¿qué puede recibirse en "las manos" o en "las mejillas"? –se preguntó en voz alta mientras miraba la fuente del jardín.

–¡Ya sé! –exclamó Aurora de pronto–. Es un beso, ¿no es así?

–¡Estás encontrando las respuestas más rápido que ninguna otra princesa! –aseguró Flora.

–¡Ahora es mi turno! –exclamó Primavera– ¿Estás lista, Aurora?

–Creo que sí –respondió ella.

–Ajem –Primavera se aclaró la garganta–.

Con el paso del tiempo, se hace más fuerte. Dicen de él que es eterno, que dura hasta la muerte... Si lo das, más recibes... hay quien dice que es ciego...

Algunos sólo dicen: "Es lo que siento por ti", y te besan luego.

Primavera se rió.

–¡Qué tonta! ¡Casi te doy la respuesta!

–Bueno, veamos –comenzó Aurora–. Podría ser un árbol. Porque "Con el paso del tiempo, se hace más fuerte". Supongo que podría decirse que un árbol es "ciego". Pero también los murciélagos...

Aurora pensó y pensó. Todavía estaba pensando cuando pasó por ahí el Príncipe Felipe, llevando de la brida a su caballo, Sansón.

–¡Feliz cumpleaños, mi amor! –le dijo con una gran sonrisa. Aurora supo de inmediato la respuesta a la adivinanza.

Muy contenta, Aurora se dirigió a toda prisa al cuarto de costura de su madre.

–¡Ya sé la respuesta de todas las adivinanzas! –anunció. Tomó la rosa que llevaba en el cabello y se la entregó a su madre. Luego le dio un beso en la mejilla.

–¡Muy bien! –le dijo la Reina–. ¿Y la respuesta a la tercera adivinanza?

Fue entonces cuando las hadas llevaron al Príncipe Felipe.

–Es el amor –dijo Aurora–. ¡Por supuesto!

La Reina sonrió, se quitó la corona y la colocó con orgullo en la cabeza de Aurora.

Esa misma tarde, pintaron el retrato de Aurora, igual que el de todas las inteligentes princesas que habían sido dueñas de la corona antes que ella.

Por la noche, se realizó un gran baile de cumpleaños en honor a Aurora.

–Feliz cumpleaños, Aurora querida –le dijo su madre–. ¡Y que cumplas muchos más!

Aurora le sonrió a su madre. Había sido un cumpleaños maravilloso.

La Bella y la Bestia

La tertulia de Bella

Bella miró por la ventana. Había estado lloviendo seis días seguidos y sentía como si la tuvieran encerrada. No había podido salir a caminar ni ir a visitar los establos en casi una semana.

—¿Cuándo dejará de llover? —se preguntó.

Chip, la pequeña taza de té, se preguntaba exactamente lo mismo. Ya había jugado todos los juegos que se le habían ocurrido. Ahora solo deseaba poder salir. Como era tan pequeño, no tenía un trabajo, como los demás objetos encantados.

Pero el resto de los habitantes del castillo habían terminado sus labores. El lugar estaba impecable.

Lumiere, el candelabro, se asomó al comedor. Notó lo aburridos que se veían Chip y Bella y comenzó a cantar una canción en francés.

Entonces Dindón, el reloj, reunió a unas servilletas, cucharas, y tazones y los puso a bailar.

—¡Eso es! —gritó mientras todos daban vueltas sobre la mesa.

–¡Viva! –gritó Chip cuando la canción terminó.

–¡Maravilloso! –exclamó Bella–. ¿Pueden cantar y bailar otra melodía?

Lumiere frunció el seño. –Bueno, lo cierto es que tenemos que ir a ver cómo está el amo –dijo.

–Sí –concordó Dindón–. Es posible que necesite algo –él y Lumiere saltaron de la mesa y se dirigieron al estudio de la Bestia.

–¿Y ahora qué hacemos, Bella? –preguntó Chip.

Bella miró a la tacita y sonrió.

–No estoy segura, Chip –respondió–. Veré si se me ocurre algo.

En ese momento entró en la habitación la madre de Chip, la señora Potts, la tetera. Ella sabía lo que podía animar a Bella y a Chip.

–Hagamos una tertulia –sugirió–. Bella, ¿por qué no te pones tu más lindo vestido de fiesta? Y Chip, tengo un trabajo especial para ti.

La tacita sonrió emocionada y Bella corrió a cambiarse.

—¡Vamos a tener una tertulia! —exclamó Bella cuando llegó a su habitación.

—¡Qué encantador, querida! —le dijo la Sra. Armario—. Vas a necesitar algo brillante y hermoso que ponerte —abrió una puerta y miró al interior. Bella sacó un vestido azul marino.

—¡No, no, no! —exclamó la Sra. Armario—. Es demasiado oscuro para una tertulia.

La Sra. Armario revolvió un poco más y encontró un sombrero amarillo. —¡No puedes dejar de ponerte este! —dijo.

—¡Es hermoso! —exclamó Bella. Entonces notó que la Sra. Armario le tendía un vestido amarillo y oro, con guantes a juego— Ahora sí te luciste —comentó.

La Sra. Armario sonrió con orgullo.

Después que Bella se cambió de ropa, se miró al espejo y dio una vuelta. ¡Era tan divertido vestirse con ropa elegante!

—Serás la más bella del baile ... eh, digo, de la tertulia —comentó la Sra. Armario con una risita.

Mientras tanto, Lumiere y Dindón habían vuelto al comedor. La Bestia estaba tomando una siesta, así que no habían tenido que ayudarle en nada.

En cuanto el reloj y el candelabro escucharon acerca de la tertulia, comenzaron a preparar el comedor. Pusieron en la mesa un florero lleno de flores azules. Luego, las cucharas, los platos y las servilletas saltaron a su sitio. Ahora lo único que necesitaban era la comida.

Al poco rato, la señora Potts y Chip trajeron unos pequeños sándwiches y pastelillos con merengue.

–¡U–la–lá! –exclamó Lumiere–. Será una tertulia encantadora. Creo que ya casi estamos listos.

–Ajem –tosió Dindón–. Chip, ¿podrías poner esta tarjeta en la cabecera de la mesa, por favor? –le entregó una tarjeta con el nombre de Bella. Así sabrá dónde sentarse.

Chip puso la tarjeta en donde le indicaron. La señora Potts le sonrió a su hijo.

–Ahora tú también toma tu lugar –dijo. La tacita saltó a un platito, emocionada. Era su primera tertulia y no podía esperar a que comenzara.

–¡Todo se ve tan hermoso! –exclamó Bella cuando entró al comedor.

–Pero espera –le dijo la señora Potts–. No podemos
olvidar una de las partes más importantes de una
tertulia... ¡el té!

La señora Potts se inclinó y sirvió un poco de té en Chip. Entonces Bella levantó a Chip y tomó un sorbo.

La tacita estaba encantada. Por fin tenía un trabajo importante.

–Es una tertulia encantadora –declaró Bella–. Me alegra mucho tener tan buenos amigos como ustedes.

–También a mí –aseguró Chip.

Todos sonrieron. Tal vez los días lluviosos no eran tan malos después de todo.

La Cenicienta

Una boda perfecta

Los sueños de Cenicienta por fin se estaban convirtiendo en realidad. Con la ayuda de sus amigos, los ratones, había logrado bajar las escaleras justo a tiempo para probarse la zapatilla de cristal que llevaba el Gran Duque. Así probó que era la chica que el Príncipe había conocido y de la que se había enamorado en el baile real.

Ahora, ella y el Príncipe se iban a casar y muy pronto comenzarían su nueva vida, juntos. Pero primero, tenía que organizar la boda, y Cenicienta no tenía la menor idea de por dónde comenzar.

Prudencia, que era el ama de llaves del Rey, con mucho gusto se hizo cargo. Se sentó con Cenicienta y leyó una larga lista de cosas que tenían que prepararse para la boda.

—Bueno —le dijo Cenicienta a Prudencia en un momento en que ella hizo una pausa—, pero ¿no podíamos tener una boda sencilla el Príncipe y yo?

Prudencia frunció el ceño.

—Cenicienta, ahora que vas a ser una princesa, necesitas comenzar a pensar como una. ¡Esta será la boda más grandiosa que el reino haya visto!

Más tarde, el sastre real llegó con varios vestidos de boda. El primero que Cenicienta se probó estaba cubierto de lazos y moños y tenía una falda enorme.

–¡Los invitados pensarán que soy un regalo! –exclamó.

–¡Así es como debe verse una princesa! –aseguró Prudencia.

Pero Cenicienta pensaba que el vestido era demasiado recargado.

–¿Sería posible diseñar algo más sencillo? – preguntó.

–"Sencillo" y "princesas" no son dos palabras que vayan bien juntas –declaró Prudencia.

Al día siguiente, Prudencia y Cenicienta visitaron al florista real. Él les presentó un ramo de rosas que era tan grande que parecía casi un arbusto.

–¿No habrá algo un poco más pequeño? –preguntó Cenicienta.

–Es perfecto –declaró Prudencia–. Todo es cuestión de saber cómo llevarlo –tomó las flores y de ellas salió una abeja.

¡Bzzz, bzzz! Prudencia gritó y la abeja le picó. ¡Entonces gritó todavía más!

Esa tarde, los ratoncitos encontraron a Cenicienta, sola en el jardín.

–¿Dónde está la dama mandona? –le preguntó Gus.

–Pobre Prudencia –respondió Cenicienta–. Una abeja la picó muy fuerte. El médico real dice que tiene que quedarse en la cama el resto del día.

–Pero, ¿y los planes para la boda? –preguntó Jaq.

–¡Tendré que hacerme cargo yo misma! –declaró Cenicienta–. ¡Miren el tamaño de esta lista! ¿Qué creen que debo hacer primero?

–¿Quienes vendrán, Cenicienta? –preguntó Jaq.

–¡La lista de invitados! Excelente idea, Jaq. Veamos. Bueno, por supuesto que todos ustedes están invitados –comenzó Cenicienta–. Y mi Hada Madrina también... Desearía que ella estuviera aquí ahora.

Casi en cuanto Cenicienta expresó su deseo, ¡el Hada Madrina apareció!

–Me encantan las bodas –dijo el Hada Madrina–. ¡Estoy segura de que todo lo que has escogido es maravilloso!

Cenicienta le explicó que no había comenzado a planificar nada.

–¿Y cuándo es la boda, querida? –preguntó el Hada Madrina.

Gus contó con los dedos.

–¡Mañana! –anunció.

–¡Cielo santo, muchacha! –exclamó el Hada Madrina– ¡Será mejor poner manos a la obra!

–¡Hay mucho que hacer! –añadió Jaq. Él y Gus le mostraron al Hada Madrina la lista de Prudencia.

–¡Te vamos a organizar una boda absolutamente mágica, querida! –le aseguró el Hada Madrina– Vamos a comenzar por el vestido –movió su varita mágica y Cenicienta quedó ataviada al instante con un elegante vestido blanco. Pero el Hada Madrina había olvidado algo.

–Es hermoso –aseguró Cenicienta–, pero, ¿no crees que necesita un velo?

Sin embargo, el Hada Madrina no la escuchaba. Había pasado al siguiente punto en la lista.

–¡Invitaciones! –declaró. Y en un abrir y cerrar de ojos, miles de encantadoras tarjetas aparecieron por montones en toda la habitación.

–¡Ahora prepararemos el festín y haremos el pastel! –anunció el Hada Madrina. Cenicienta se puso de nuevo su vestido azul y siguió al Hada Madrina hasta la cocina real.

Mientras tanto, tres de los ratoncitos tomaron unas tijeras y cortaron un pequeño trozo de tela de debajo del vestido de bodas de Cenicienta. Luego ensartaron unas agujas, sacaron una caja de perlas diminutas y comenzaron a hacer el velo.

El resto de los ratones tomó cada uno un montón de tarjetas para repartirlas.

No llegaron muy lejos, antes de que sus planes quedaran arruinados por culpa de Pom–Pom, ¡el gato del castillo!

–¡Vaya! ¡Estuvo cerca! –exclamó Jaq cuando él y Gus corrieron a la cocina, donde Cenicienta estaba con el Hada Madrina.

–¡Y ahora, la mejor parte! –exclamó el Hada Madrina. Y describió un amplio círculo con su varita para crear el pastel más grande y elegante que Cenicienta hubiera visto jamás.

–¿Qué opinas? –preguntó el Hada Madrina.

–Humm... A Prudencia le encantará –declaró Cenicienta tratando de ocultar su desilusión–. Y hablando de Prudencia, realmente debo ir a ver cómo está.

–¡Pobre niña! –exclamó el Hada Madrina cuando Cenicienta se marchó–. Creo que todos estos preparativos de la boda son demasiado para ella.

Jaq y Gus tiraron de la manga del Hada Madrina.

–A Cenicienta le gustan las cosas más pequeñas –dijo Jaq. Y Gus se señaló a sí mismo con orgullo.

–¡Como los ratones!

De inmediato, el Hada Madrina comprendió por qué Cenicienta no había demostrado más entusiasmo.

El Hada Madrina fue a ver a Cenicienta a su habitación un poco más tarde.

–Creo que me dejé llevar por el entusiasmo, querida –se disculpó–. Ahora dime, ¿cómo sería la boda de tus sueños?

Después de escuchar a Cenicienta, el Hada Madrina comenzó a hacer magia. Con un movimiento de su varita, el velo quedó terminado. Luego, las invitaciones se enviaron a un grupo más reducido de personas.

–Ahora vamos a encargarnos del tamaño del pastel –dijo el Hada Madrina con un guiño.

Cuando llegaron a la cocina Cenicienta se volvió a los ratoncitos.
–Gracias amiguitos –les dijo muy contenta.

–¡Lo que se te ofrezca, Cenicienta! –le dijo Jaq.

–¡Bibidi–babidi–bú! –dijo el Hada Madrina y señaló el pastel. Encogió y encogió hasta que tuvo el tamaño de un pastel de bodas normal.

Al día siguiente, Cenicienta se preparó para su boda. Llevaba un sencillo vestido blanco, con velo y guantes. Llevaba un ramo de rosas del jardín que los ratoncitos habían reunido para ella. Era justo como lo había soñado.

Pero cuando el Rey estaba por escoltarla hasta el altar, Cenicienta miró hacia abajo y lanzó una pequeña exclamación de sorpresa. ¡No llevaba zapatos! ¿Qué iba a hacer? Miró a los ratones y luego se miró otra vez los pies.

El Hada Madrina siguió la mirada de la novia.

—¡Santo cielo, niña! —exclamó—. ¡No puedes casarte descalza!
—movió su varita mágica y, de pronto, ¡Cenicienta tenía puestas
sus zapatillas de cristal!

Después de la ceremonia hubo una alegre celebración. No fue la celebración más grandiosa del reino, pero sí la más especial. Incluso Prudencia se sintió satisfecha.

–¿Cómo pudiste organizar todo esto? –le preguntó el Príncipe a Cenicienta.

La princesa sonrió y le dijo:

–Cuando tienes buenos amigos, ¡todo es posible!

El verdadero amor

Aladdín, la Princesa Jasmín y Rajá, el tigre de la princesa, estaban descansando en el jardín del palacio cuando escucharon una voz conocida.

–¡Ya *volvíiii!* –gritó el Genio–. ¿Cómo está mi pareja favorita?

–Extrañándote –le aseguró Jasmín–. ¿Cómo estuvo tu viaje alrededor del mundo?

–¡Fabuloso! –respondió el Genio– Vi las pirámides en Egipto, fui a esquiar en Suecia y obtuve un lindo bronceado en el Caribe. Tengo un bonito tono de azul, ¿no creen?

Salió una chispa del dedo del Genio y de pronto, ¡Aladdín y Jasmín estaban rodeados por obsequios de todos los países que el Genio había visitado! Le había llevado una sorpresa especial a Aladdín: ¡un canguro de Australia!

–¡Epa, amiguito! –exclamó Aladdín cuando el cangurito saltó sobre su pie. Pero el animal no se detuvo: siguió brincando hasta que saltó sobre el muro del palacio.

–¡Oye, espera! –le gritó Aladdín. Luego se volvió hacia Jasmín–. Será mejor que vaya a atraparlo.

–¡Ten cuidado! –le aconsejó el Genio cuando Aladdín salió corriendo– ¡Los canguros saben boxear!

–¡Oh, Genio! Es fabuloso tenerte de vuelta en Agrabáh –le dijo Jasmín. Entonces notó que el Genio parecía un poco triste–. ¿Qué te pasa? –le preguntó–. Te ves un poco serio.

–Yo siempre he sido poco serio –respondió él con una sonrisa. Pero luego sí se puso serio–. Los viajes estuvieron muy bien y todo, pero me sentí un poco solo –dijo–. Me gustaría encontrar otro Genio con quién poder compartir mi vida.

Jasmín le puso una mano en el hombro al Genio.

–Sé cómo te sientes –le aseguró–. Yo pasé por muchos pretendientes antes de encontrar a mi verdadero amor.

La princesa comenzó a contarle su historia al Genio.

–Le dije a mi padre que quería casarme por amor –explicó Jasmín–. Pero la ley decía que yo tenía que casarme con un príncipe. Sin importar lo que yo le dijera, mi padre no me escuchaba. Llamó a todos los pretendientes que pudo encontrar para que vinieran a cortejarme.

–Parece que eras muy popular –comentó el Genio.

–¿Popular? Sí –respondió Jasmín–. ¿Feliz? ¡No!

–Al principio, traté de buscarle el lado bueno a la situación –dijo Jasmín–. Sabía que mi padre contaba conmigo. Hizo que las costureras me hicieran ropa nueva. Y al principio era divertido probarme una prenda tras otra.

–¡Debes haberte visto encantadora, querida! –interrumpió el Genio.

–Y luego, por supuesto, estaban las joyas. Todo parecía demasiado bueno para ser verdad… hasta que conocí a los pretendientes –dijo Jasmín con un suspiro–. Entonces ya no fue tan emocionante.

—Primero fue el Príncipe Achú, o por lo menos así le decía yo —continuó Jasmín—. Me decía: "Princesa Jasmín, *¡A–a–a–chú! Es un... ¡Achú!... placer conocerte*".

El Genio se rió.

—¿Era alérgico a ti? —preguntó.

—No —respondió Jasmín—. A mi perfume, al salón del trono y a todo lo que había en el palacio. No pude soportarlo, así que lo rechacé. Estornudó todo el camino hasta su casa.

–Conforme pasaban los días, cada pretendiente parecía peor que el anterior –contó Jasmín–. El siguiente fue uno al que yo le llamaba Príncipe Macho. Me decía: "La princesa que se case conmigo tendrá que cocinar y limpiar y hacer cualquier otra tarea del hogar que se requiera". Yo no podía creerlo. Le pregunté si quería que también le diera de comer en la boca y me contestó que era importante para él poder relajarse. Así que le dije: "¿De verdad? ¡Pues para mí es importante que mi esposo no viva en la Edad de Piedra!" Se marchó hecho una furia y yo me quedé muy contenta de verlo partir.

–Huy, suena terrible –estuvo de acuerdo el Genio–. Me alegra que te deshicieras de él.

—El siguiente príncipe fue Lo–que–tú –dijo Jasmín–. Le pregunté qué le gustaba hacer y me respondió: "Lo que te guste a ti, princesa".

—Parece alguien muy aburrido –comentó el Genio.

Jasmín sonrió.

—Le pregunté cuál era su platillo favorito. "Lo que tú comas, princesa", me contestó. Así que decidí divertirme un poco con él. Le dije que ese día íbamos a comer pan con hormigas rostizadas y humus de rata. Se puso verde y salió de la habitación.

—¡Princesa! ¡Qué vergüenza! –rió el Genio. Ella le sonrió, pícara.

—Bueno, por lo menos tomó una decisión acerca de algo. ¡Y a mí me pareció perfecta!

–Cuando casi perdía la esperanza, conocí a Aladdín –dijo Jasmín–. Me rescató de un furioso vendedor callejero, después de que tomé una manzana para dársela a un niño hambriento. Entonces, con tu ayuda, Genio, se convirtió en un príncipe y vino hasta mi balcón.

–Sí... Al nunca se vio más apuesto –dijo el Genio.

–Pero lo importante no fue su aspecto, Genio. Fue lo que dijo. Me dijo que entendía que yo no era un premio que se pudiera ganar y que yo debía poder decidir con quién quería casarme. Luego me llevó a dar el más maravilloso paseo en la alfombra mágica. Y así floreció el verdadero amor.

Jasmín sonrió alegremente y luego miró al Genio. ¡Berreaba como un bebé! –¿Genio? ¡Genio! ¿Qué te pasa? –preguntó la princesa.

–¡Esa fue la historia más dulce que haya yo escuchado jamás! –explicó el Genio entre sollozos.

Jasmín rió y se sintió un poco avergonzada.

–Genio, tú también puedes encontrar la felicidad que compartimos Aladdín y yo. ¡Estoy segura de que esa Genio especial está esperándote en alguna parte!

–¿De verdad? –preguntó el Genio.

–Sí, de verdad –respondió Jasmín.

En ese momento, Aladdín regresó con el canguro.

–Tenías razón, Genio. Ese canguro tiene un gancho derecho muy fuerte –dijo mientras se frotaba el brazo.

–No tengo tiempo para charlar, Al –le respondió el Genio alejándose a toda prisa–. Tengo a una Genio que encontrar... ¡y no tengo nada que ponerme!

–¿Qué le pasa? –le preguntó Aladdín a Jasmín.

–Quiere tener lo mismo que tú y que yo –le respondió la princesa con una sonrisa–. Amor verdadero.

En pocos minutos, el Genio reapareció. Hizo un rápido desfile de modas para Jasmín y Aladdín.

–¿Qué me queda mejor? ¿El aspecto de banquero apuesto? ¿O el de golfista profesional? ¿Y qué tal un surfista con buena actitud? ¿Cuál? ¿Cuál? –preguntó el Genio.

60

PRINCESAS CUENTOS PARA DORMIR

–Quieres a alguien a quien le agrades por la persona que eres en tu interior –le aconsejó Jasmín–. Así que solo sé tú mismo.

–¿Yo mismo? –repitió el Genio–. ¿Te refieres a la persona que soy realmente, en mi corazón? ¿No a la persona en la que me convierto?

–Precisamente –respondió Jasmín.

–Me pregunto quién será ese –dijo el Genio.

–Vamos, Genio –le dijo Aladdín–. Eres un gran tipo: divertido, inteligente, servicial y amable. Eres un amigo maravilloso y una Genio muy afortunada seguramente se dará cuenta muy pronto. Como dice Jasmín, sólo tienes que ser tú mismo.

De pronto, el Genio tuvo una idea. Miró a Jasmín y a Aladdín.

–¡Presto y cambio! –dijo, y la ropa de surfista desapareció–. ¿Qué les parece mi nuevo... eh... viejo aspecto?

–Es perfecto –le aseguró Jasmín con calidez.

–Gracias –le dijo el Genio, y se marchó.

—¿Qué te parecería un paseo en alfombra mágica? —le propuso Aladdín a Jasmín.

—Me encantaría —replicó Jasmín—. Le estaba contando hace un rato al Genio acerca de nuestro *primer* paseo en alfombra mágica.

Mientras Jasmín y Aladdín volaban sobre Agrabáh, la princesa se acomodó contra su esposo.

Después de un rato, llegaron a lo alto de una montaña. De pronto, Jasmín vio una manta con comida.

—¡Nuestro propio picnic privado! —exclamó.

—¿Te gusta? —preguntó Aladdín.

—¿Gustarme? ¡Me encanta! ¡Oh, Aladdín! ¡Soy tan afortunada de tenerte! —exclamó Jasmín.

Aladdín negó con la cabeza.

—No, el afortunado *soy yo*.

Se sonrieron uno al otro. Pronto, la alfombra mágica se detuvo. Aladdín le ofreció la mano a Jasmín y la condujo hasta la cesta de comida.

Mientras disfrutaban de su picnic al atardecer, Jasmín volvió a pensar en todos sus molestos pretendientes. Gracias a ellos, realmente apreciaba el amor que finalmente había encontrado con Aladdín. Y estaba segura de que el Genio encontraría también su verdadero amor.

El pequeño oso

Blanca Nieves se dirigió al bosque con una canasta en la mano. Iba en busca de las moras, las frambuesas y los arándanos azules más dulces que pudiera encontrar. Planeaba mezclarlos para hornear uno de los postres favoritos de los enanos: ¡pastel de bayas azules!

Los amiguitos de Blanca Nieves que vivían en el bosque la siguieron por el sendero. La muchacha cruzó el cantarino arroyuelo y subió por un pequeño risco.

–¡Pero miren nada más cuántas bayas! –exclamó Blanca Nieves. Los conejitos saltaron hasta un arbusto cercano y comenzaron a mordisquear la jugosa fruta. Blanca Nieves empezó a llenar su canasta.

–¡Son las moras más grandes que yo haya visto! –aseguró– ¡El pastel quedará delicioso!

Cuando la canasta de Blanca Nieves estaba casi llena, escuchó un ruido extraño.

–Creo que alguien está en problemas –dijo.

Ella y los conejitos siguieron el sonido hasta un tronco hueco en medio de un pequeño claro.

Blanca Nieves se asomó al interior del tronco caído. ¡Un osito café estaba atrapado dentro!

–¡Oh, pobre amiguito! –exclamó Blanca Nieves. El osezno gimió–. No te preocupes –le dijo la princesa–, encontraremos una manera de sacarte de ahí.

Blanca Nieves y los conejitos buscaron una manera de liberar al cachorro de oso. Los conejitos comenzaron a empujarlo hacia afuera del tronco, pero no tenían suficiente fuerza.

Blanca Nieves metió la mano en el tronco y trató de jalar al cachorro para sacarlo, pero no pudo alcanzarlo.

—Creo que necesitamos más ayuda, ¿no lo creen? —les dijo a los tres conejitos. Los animalitos se miraron y luego movieron sus naricitas hacia ella.

—Corran a la pradera tan rápido como puedan y traigan acá a otros animalitos —dijo Blanca Nieves—. ¡Por favor, apúrense!

Los conejos asintieron con la cabeza y se alejaron a toda prisa.

Cuando los conejitos llegaron a la pradera, le dijeron a un pajarito acerca del pequeño oso en el tronco de árbol.

–¡Pío, pío! ¡Pío! –cantó el pajarito.

Voló tan rápido como pudo para decirles a otras aves, que volaron por el bosque y les contaron a los venados. Luego, el mensaje le llegó a las ardillas.

Las ardillas corrieron a compartir la noticia con los mapaches, que se la contaron a los castores y a los topos. Pronto, un enorme grupo de animales iba en camino hacia el osito.

Mientras tanto, en el claro del bosque, Blanca Nieves trataba de consolar al cachorro.

–Una vez, cuando era una niñita, me quedé atorada en un árbol –le dijo–. Subí hasta lo más alto de la copa, pero una vez arriba, no supe cómo bajar.

El pequeño oso dejó de llorar y comenzó a escuchar la tranquilizadora voz de Blanca Nieves.

–Pero entonces, un amable granjero llegó y me ayudó a bajar. Así que sé exactamente cómo te sientes –le aseguró.

El osito se asomó a ver a Blanca Nieves y ella le acarició suavemente la cabeza.

De pronto, las hojas empezaron a moverse, los pájaros cantaron y se oyeron contra el suelo pisadas de pezuñas. Los amigos de Blanca Nieves habían llegado.

–¡Oh, pequeño oso, muchos de mis amigos han venido a ayudar! –exclamó Blanca Nieves–. Te vamos a sacar de ahí muy pronto.

Blanca Nieves y sus amigos, los animalitos, se reunieron alrededor del tronco.

–¿A alguien se le ocurre cómo sacarlo? –preguntó la princesa.

Los mapaches y las ardillas se metieron al interior del tronco caído para medir su anchura. Los mapaches se metieron en un extremo del tronco y empujaron al cachorro, mientras que las ardillas entraron por el otro y lo jalaron. Los topos y otras ardillas trataron incluso de mover el tronco. Sin embargo, ni siquiera pudieron mover al osito.

Entonces se acercaron los venados. Usaron sus grandes cornamentas para levantar un extremo del tronco, de modo que el osito pudiera deslizarse y salir. Pero el bebé oso seguía atascado.

Los animales comenzaron a desanimarse.

–¡No podemos darnos por vencidos! –les pidió Blanca Nieves.

Un pajarito voló hasta el tronco y señaló con el pico un pequeño agujero en la parte de arriba. Entonces comenzó a picotearlo.

Después de un rato, los castores comprendieron la idea y comenzaron a masticar el tronco.

El agujero se hizo más y más grande mientras los animales trabajaban juntos.

—¡Están haciendo el agujero más grande, para que el osito tenga espacio suficiente para salir! —dijo Blanca Nieves muy emocionada.

Pronto, el agujero fue lo bastante grande para que el osito saliera por él. ¡Finalmente, lo lograron!

—Pequeño oso —Blanca Nieves lo llamó—, está bien. ¡Ya puedes salir!

Los animales en el claro miraron el tronco en silencio. Blanca Nieves juntó las manos, nerviosa.

El tronco se movió hacia un lado y el otro y Blanca Nieves escuchó un ruido leve.

El bebé oso asomó la cabeza por el agujero, y miró a su alrededor a todos los animales que le habían ayudado.

Blanca Nieves y sus amigos lanzaron exclamaciones de alegría.

El osito se retorció hasta salir del tronco. ¡Estaba libre!

Blanca Nieves le dio un cálido abrazo.

–¿Tienes hambre? –le preguntó.

El osito la miró con interés.

Ella tomó la canasta de frutas maduras que había dejado a un lado del claro y la puso cerca del bebé oso. Él la olisqueó, hambriento.

—¿Quieres algunas... —comenzó Blanca Nieves. El osito corrió hasta la canasta y comenzó a comer—

... bayas? —terminó Blanca Nieves.

Y comenzó a reír. ¡El osito comía y comía! Parecía estar bien después de su aventura en el interior del tronco.

—¡Vaya, sí que tenías hambre! —dijo Blanca Nieves.

El osito sacó la cabeza de la canasta. Tenía la cara y las patas cubiertas de jugo de bayas.

—¡Creo que voy a tener que recoger más bayas para el pastel de los enanos! —exclamó Blanca Nieves.

Sus amiguitos del bosque se rieron.

El osito también se rió. Estaba muy feliz de estar libre y de haber hecho tantos nuevos amigos.

La Sirenita

Una canción especial

-¿Me permiten su atención, por favor? –pidió Sebastián.

El cangrejo golpeó con su batuta el podio, al inicio del ensayo. El cumpleaños del Rey Tritón se celebraría dentro de algunos días y los músicos de la corte estaban planeando una función especial. La hija del Rey Tritón, Ariel iba a cantar mientras la orquesta tocaba una canción nueva. Sebastián quería que el concierto fuera espectacular, pero todavía tenían mucho trabajo por hacer.

El cangrejo levantó su batuta y los músicos comenzaron a tocar. Una hermosa música llenó el fondo del mar, hasta que de pronto... ¡clan!

–¿Quién hizo ese ruido? –exigió Sebastián

–Humm... fui yo –respondió una vocecilla tímida.

–¡Oh, Coral, no de nuevo! –gritó Sebastián.

–Lo siento –respondió la joven sirena, con las mejillas rojas por la vergüenza.

–Coral –le dijo severo el director de la orquesta–, la mejor

manera de tocar los platillos ¡es sosteniéndolos bien!

–Sí, señor –respondió Coral.

–Ahora, si ya no hay más interrupciones –dijo

Sebastián, malhumorado–, continuemos.

El ensayo fue de mal en peor. Coral seguía equivocándose. Dejó caer sus platillos una segunda vez. *¡Clan!* Luego se tropezó y cayó sobre un tambor metálico.

Mientras Ariel observaba la escena, Sebastián arrojó su batuta.

—¡Se acabó el ensayo! —gritó el cangrejo, y se marchó hecho una furia.

–No le hagas caso a Sebastián –le dijo tratando de calmarla–. Solo quiere que todo salga perfecto.

Coral se mordió el labio.

–Lo mejor sería que abandonara la orquesta –dijo ella con tristeza–. Nunca podré lograr que la canción me salga bien, ya no digamos perfecta.

–No te preocupes –le dijo Ariel–. ¡Lo único en lo que yo soy perfecta es en hacer enfadar a Sebastián! Debiste ver su cara la última vez que fui a la superficie. ¡Parecía que los ojos se le iban a salir de la cara!

–¿Has ido a la superficie? –preguntó Coral, asombrada. Su rostro se iluminó con la emoción– ¡Huy! ¡Debes ser la sirena más valiente de todas!

Ariel rió. —No sé si seré la más valiente —dijo—. Es solo algo que me gusta hacer. Estoy segura de que tú también tienes un pasatiempo, ¿o no?"

—No sé —respondió Coral—. Tengo nueve hermanos y hermanas, así que realmente nunca estoy sola.

—Sé a lo que te refieres —admitió Ariel—. Yo también tengo muchas hermanas. Pero tengo un sitio especial en donde guardo mi colección de tesoros. ¿Te gustaría verlo?

—¡Me encantaría! —aseguró Coral.

Las dos sirenas nadaron hasta la gruta de Ariel.

—Siéntete como en tu casa —le dijo Ariel a Coral cuando llegaron. Flounder, el pez, ya estaba ahí. Las saludó con un movimiento de su aleta.

Coral nadó por la caverna, examinando las joyas y los objetos brillantes.

—¿Dónde encontraste todo esto? —le preguntó a Ariel mientras se ponía un collar de perlas.

—Algunas cosas las encontré en el fondo del mar —le dijo Ariel—.

—Y en barcos hundidos —añadió Flounder.

–¿Has estado en el interior de un barco hundido? –exclamó Coral sin aliento– ¿Y no te dio miedo?

–Claro que no. ¿A ti sí, Flounder? –lo embromó Ariel.

–¡Para nada! –mintió el pez.

–Entonces, ¿qué estamos esperando? –preguntó Ariel. ¡Vamos!

Coral y Flounder siguieron a Ariel. Pronto, llegaron a un barco que se había hundido y se encontraba en el fondo del mar.

–¡Vamos! –los apresuró Ariel, y desapareció por una ventanilla del barco–. ¡Veamos qué encontramos adentro!

–¿Quiere que nos metamos ahí? –exclamó Coral.

–Ajá –respondió Flounder.

En el interior del barco, Ariel encontró un viejo cofre y lo abrió.

–¡Mira esto! –exclamó mientras sostenía una sombrilla morada.

–¡Y esto! –exclamó al tiempo que levantaba la elegante pantalla de una lámpara–. Me pregunto para qué será...

–Mi amigo Scuttle puede decirnos –le aseguró Ariel–. ¡Síganme!

–¿A dónde vamos? –le preguntó Coral a Flounder.

–A la superficie –le respondió él con tranquilidad.

Antes de que Coral tuviera tiempo de asustarse, los amigos de Ariel habían llegado. Scuttle, la gaviota, estaba parada sobre una roca. El ave examinó sus tesoros.

–Este es un escafósporo –dijo mirando la sombrilla de Ariel–. Los humanos pequeños los usan para remar por el océano –luego dirigió su atención a la pantalla de lámpara que llevaba Coral.

–¡Oh! –exclamó con emoción– ¡Un girarronditorio! Es lo que las damas humanas usan cuando van a ir a algún sitio importante.

Al poco rato, los amigos tuvieron que separarse.

Mientras se dirigían a casa, Coral le preguntó a Ariel si podía guardar su girarronditorio en la gruta.

—En mi casa podría perderse o romperse —explicó.

—Por supuesto —le respondió Ariel—. La gruta es mi lugar secreto y también puede ser el tuyo.

Unos días más tarde, cuando Ariel nadaba hacia la gruta, escuchó que alguien cantaba. La voz era fuerte y clara, pero también muy dulce. Cuando Ariel miró al interior de la gruta, vio que se trataba de su nueva amiga.

—¡Coral! —exclamó Ariel— No sabía que cantabas tan bonito.

—No canto bonito —respondió Coral—. No como tú.

—¡Tonterías! ¡Tienes una voz encantadora! —le aseguró Ariel—. Deberías cantar en el concierto, no estar tocando los platillos.

La pequeña sirena rubia se encogió de hombros. —Solo me gusta cantar cuando estoy sola —explicó—. Nunca lo he hecho delante de nadie.

Al día siguiente, en el ensayo, Sebastián hizo que Ariel y la orquesta practicaran una y otra vez, pero algo siempre parecía salir mal.

—¡El gran día es mañana! —se desesperó el cangrejo—. Este concierto debe ser digno de un rey... ¡del Rey Tritón, para ser más exactos! Intentémoslo de nuevo —así que eso hicieron. Y el ensayo siguió y siguió. Al terminar la tarde, todos estaban agotados.

—Nos vemos mañana —dijo Ariel. Tenía la voz un poco ronca.

El día del concierto, Ariel apenas podía susurrar. ¡Había perdido la voz!

Ariel fue a darle la noticia a Sebastián.

–Es mi culpa –gimió Sebastián–. ¡El ensayo de ayer fue demasiado largo! ¿Y ahora quién va a cantar el solo?

Ariel le indicó a Sebastián que la siguiera. Entonces lo condujo hasta la gruta, donde Coral estaba cantando. Sebastián le pidió a la sirenita rubia que tomara el lugar de Ariel en el concierto.

–¿Yo? –dijo Coral– ¡Pero no puedo!

–Debes hacerlo –insistió Sebastián–. De otra manera, la celebración del cumpleaños del Rey Tritón quedará arruinada.

–Pero no puedo cantar delante de una multitud –insistió Coral–. ¡Y seguro que no puedo cantar delante del Rey Tritón!

–Claro que puedes –le aseguró Flounder.

Coral pensó en cómo había visitado un barco hundido y cómo había ido hasta la superficie, cosas que nunca pensó que pudiera hacer... y todo gracias a Ariel. Ahora su nueva amiga contaba con ella.

–Muy bien –dijo Coral lentamente–. Lo haré.

Esa noche, cuando Coral se asomó desde detrás de la cortina del escenario, estuvo a punto de desmayarse. Todo el reino estaba presente, ¡incluso sus padres y todos sus hermanos y hermanas! El Rey Tritón y Ariel estaban sentados en el palco real.

Cuando llegó el momento, Coral aspiró profundo y nadó a escena. Mientras la orquesta comenzaba a tocar, ella cantaba suavemente. Sin embargo, su confianza fue creciendo y la voz de Coral se hizo más fuerte. Antes de que se diera cuenta, el concierto había terminado y el público comenzó a aplaudir.

–Coral –le dijo Sebastián con una gran sonrisa–. Ya puedes dejar tus platillos. De ahora en adelante, ¡serás la cantante de la corte!

Después de la función, Ariel fue a felicitar a su amiga. Encontró a Coral con su familia.

–¡No sabía que podías cantar así! –exclamó una de las hermanas de Coral.

–Y nadie lo hubiera sabido si no fuera por Ariel –explicó Coral–. Ella tuvo confianza en mí y me ayudó a confiar en mí misma.

Ariel todavía no recuperaba la voz, pero le sonrió a Coral y le dio un fuerte abrazo. Estaba muy contenta de que todo hubiera salido tan bien. Había sido una velada maravillosa.

Disney
PRINCESA

La Bella y la Bestia

Pídelo por favor

Un día de lluvia, en la biblioteca de la Bestia, Bella y una pequeña tacita de té llamada Chip estaban jugando a la Caza de tesoros. Cada pista los llevaba a la siguiente, hasta que la última los conducía a un tesoro.

Bella tomó la primera tarjeta y la leyó: "Anda y echa un ojo en un gran libro rojo". –¡Hay un libro rojo y grande sobre la mesa! –exclamó Chip con emoción.

Algunas gotas de agua salpicaron alrededor de ellos. El techo del castillo de la Bestia tenía tantas goteras que ¡parecía que también adentro estaba lloviendo! Bella esquivó las gotas de agua y sacó una tarjeta del interior del libro rojo.

–Dice: "Vayamos pronto, un ratito, a un sitio cómodo y calientito".

–¡Debe ser cerca de la chimenea! –exclamó Chip. Bella sacó la tarjeta que estaba metida detrás de un cuadro, sobre la chimenea.

–La clave dice: "Bajo la alfombra de seda y raso, encontrarás un gran. . ." –leyó Bella.

–¿Un gran qué? –preguntó Chip.

–Eso es todo lo que dice –le respondió Bella–. Si encuentras la última pista, tendrás la respuesta.

Chip saltó por la habitación hasta que encontró una tarjeta debajo de una fina alfombra.

–Dice: "¡Abrazo!" –exclamó Bella–. ¡Ese es tu premio! –y entonces le dio un gran abrazo.

—Buscar tesoros es muy divertido —dijo Chip con alegría—. ¿Sabes? Si la Bestia jugara de vez en cuando, apuesto a que no estaría tan enfadado todo el tiempo.

—¿Por qué no lo invitas a jugar uno de estos días? —sugirió Bella.

—Es buena idea —respondió Chip.

En ese momento escucharon el silbido de una tetera.

—Mamá está haciendo té —dijo Chip—. ¡Iré a ver si también ha preparado pastelitos!

Bella se acomodó en un sillón, para leer. Su libro se había resbalado debajo de un cojín. Al meter la mano para sacarlo, sintió que había algo más.

Era un pedazo de listón con un par de llaves. "¿De qué serán?", se preguntó Bella. "Le preguntaré a la Bestia más tarde". Se echó las llaves al bolsillo y comenzó a leer.

Mientras tanto, en la cocina, la señora Potts, la tetera, trataba de preparar algunos pasteles, pero había goteras chorreando por todas partes.

–Estas goteras son terribles –le dijo a Lumiere, el candelabro.

–Le he estado suplicando a la Bestia que repare el techo desde hace semanas –respondió él.

De pronto, Chip llegó corriendo.

–¡Mamá, mamá! –le gritó. –¡Hola, querido! –dijo la señora Potts–. Ya sabes que no es de muy buena educación interrumpir. Y si tienes que hacerlo, debes decir *"discúlpenme"*.

–Discúlpenme –dijo Chip–. ¿Me das un pastelito?

–Me das un pastelito, ¿y qué más se dice? –preguntó la señora Potts.

–Humm..... ¿me das un pastelito, *por favor*?

–Por supuesto, querido –le dijo su madre.

–Gracias –respondió Chip.

En ese momento la Bestia entró a toda prisa en la habitación. Tomó tres pasteles sin decir *por favor* ni *gracias*.

–Necesito las herramientas para reparar el techo –dijo en tono molesto mientras se comía los pasteles–. Pero no encuentro las llaves del cobertizo de las herramientas.

–Iré a buscarlas, amo –le respondió Lumiere. Y se alejó en busca de las llaves.

–¿Le gustaría jugar a la Búsqueda del tesoro con Bella y conmigo uno de estos días? –le preguntó tímidamente Chip a la Bestia–. Es un juego divertido que Bella inventó.

–Ahora no. Necesito encontrar esas llaves –respondió la Bestia con impaciencia. Tomó dos pasteles más y se marchó.

Un poco más tarde, Chip le llevó un pastelito a Bella.

—Gracias —le dijo Bella—. Es muy dulce de tu parte.

—Bella, ¿es correcto que la Bestia no sea amable solo porque es el dueño del castillo? —le preguntó Chip.

—Todos deberían tratar de ser amables —respondió Bella—. Pero es fácil olvidarlo.

Ella y Chip decidieron que tratarían de ser mucho más amables y considerados con la Bestia, para que él lo notara y fuera más amable también.

Esa noche, Chip ayudó a su madre a servir la cena.

—¿Quieres un poco más de papas, Bella? —preguntó.

—Sí, por favor, Chip —respondió Bella—. ¡Gracias!

—Discúlpame mientras traigo un poco más de salsa —le dijo Chip.

—Estoy muy orgullosa de Chip, por ser tan cortés y amable —dijo Bella. Pero la Bestia no parecía estar oyendo. Estaba demasiado ocupado devorando su comida.

Plis, plas. El techo comenzó a gotear otra vez.

—¡Debo arreglar estas terribles goteras! —rugió la Bestia—. ¡Dindón! ¡Lumiere! —gritó—. ¡Los necesito en el comedor! *¡Ahora mismo!*

El reloj de mesa y el candelabro llegaron corriendo.

–¿Han visto las llaves del cobertizo de las herramientas? –preguntó la Bestia con exigencia–. ¿Dos llaves pequeñas en un listón?

Ellos le dijeron que no las habían visto.

Bella recordó las dos llaves que se había echado al bolsillo. Sabía que eran las que la Bestia quería, pero también pensaba que podía ser un poco más amable con los demás.

De pronto, se le ocurrió una idea. Le susurró su plan a Chip. Él sonrió y asintió. Entonces, Bella se puso de pie.

–Disculpen –dijo–, pero Chip y yo queremos que todos se nos unan en el salón de baile dentro de algunos minutos, para una búsqueda del tesoro muy especial.

–¡Ahora no! –gruñó la Bestia.

–Será algo que valdrá la pena –le aseguró Bella a la Bestia–. Lo prometo.

Cuando todos se reunieron en el salón de baile, Bella les explicó el juego.

—En cada tarjeta hay una clave que les ayudará a encontrar la siguiente pista. Cada pista termina además en una palabra faltante, que hace rima.

La Bestia golpeaba con el pie, impaciente.

—Yo leeré la primera —dijo Bella y sacó una tarjeta de su bolsillo—. Dice: "En mí se miran y si me tiran me rompen. Para interrumpir, dices. . ."

—¡"Disculpen"! —exclamó Chip.

—¡Muy bien, Chip! —exclamó la señora Potts—. Usas un espejo para mirarte y si lo tiras se rompe. ¡Yo creo que la siguiente pista está detrás del marco del espejo!

La señora Potts tomó la tarjeta y la leyó.

–"Un caballero reluciente, capaz de grandes audacias. Cuando alguien te ayuda en algo, siempre debes decir. . ."

–¡Gracias! –exclamaron Dindón y Lumiere al mismo tiempo.

–¡Esta es una pérdida de tiempo! –protestó la Bestia. Comenzó a caminar para salir del salón, pero Bella le puso una mano en el brazo.

–¡Espera un momento! –le pidió–. Por favor.

La Bestia titubeó y luego asintió.

Dindón sacó una tarjeta de la armadura que estaba junto a la puerta. Lumiere la leyó:

–"Las llaves perdidas aparecen con un esfuerzo menor, si recuerdas siempre pedirlas. . ."

Los ojos de todos estaban en la Bestia. Ahora entendía que aquella cacería de tesoro era la manera de Bella de ayudarle a demostrar buenos modales. Arrastró los pies. Finalmente, sonrió.

–¿"Por favor"? –le preguntó a Bella.

Bella sonrió y le tendió las llaves. La Bestia las tomó y se volvió para salir de la habitación. Pero entonces se dio la vuelta.

–Casi lo olvido –dijo–. *Gracias*, Bella.

–*De nada* –respondió ella alegremente y le guiñó un ojo a Chip.

Al día siguiente, la Bestia reparó las goteras del techo. Dindón y Lumiere le ayudaron. Todo el día, la Bestia recordó ser amable. Decía *por favor* y *gracias* continuamente.

Al caer la noche, todas las goteras estaban reparadas.

–¡Qué alivio! –exclamó la señora Potts cuando la Bestia terminó.

–Gracias por arreglar el techo –le dijo Dindón a la Bestia.

–*Oui, merci* –añadió Lumiere.

–De nada –respondió la Bestia con una sonrisa.

Disney
PRINCESA

La Bella Durmiente

En sus marcas, listas... ¡lancen!

Rosa barrió un montoncito de polvo y migajas por la puerta.

—Creo que iré a dar un paseo al bosque —les dijo a sus tías—. Es un hermoso día.

—Está bien, querida —le respondió su tía Flora.

—Trae algunas nueces y haré una tarta —le pidió la tía Fauna.

—No te tardes mucho —añadió su tía Primavera.

Rosa tomó una canasta para poner las nueces, se despidió de sus tías y se dirigió al bosque.

Pronto llegó a un pequeño arroyo. Una familia de caracoles se sujetaba de una ramita llena de hojas que iba flotando por el agua.

–El viento debe haber soplado la rama hasta la corriente –se dijo Rosa–. Los voy a ayudar.

Levantó la rama y la puso sobre el césped.

–Apresúrense a regresar a casa –le dijo a los caracoles. Luego se rió–. Bueno, ya sé que los caracoles no se dan prisa para nada, así que tal vez solo deba desearles un feliz viaje.

Rosa siguió caminando hasta que vio algo peludo que pasaba corriendo. ¡Eran dos ardillas! Corrieron por encima de un tronco que se había caído sobre el arroyo, treparon a un árbol y desaparecieron en un agujero del tronco. Pronto, salieron del árbol y se apresuraron hacia un montoncito de nueces.

Rosa comenzó a juntar nueces y notó que las ardillas también las estaban reuniendo. Cuando vio que corrían desde el montón de nueces hasta el árbol y regresaban una y otra vez, se dio cuenta de que estaban almacenando comida para el invierno.

–¡Oh, vaya! –les dijo–. Esto les va a llevar todo el día. Me pregunto si puedo ayudarles.

Rosa miró el árbol. No estaba demasiado lejos. Tomó una nuez y la arrojó hacia el hueco del árbol. *¡Ploc!* Cayó frente al árbol.

—Hum... estoy segura de que puedo hacerlo mejor —dijo. Apuntó y volvió a arrojar una nuez. Esta vez, ¡la nuez cayó precisamente en el agujero del tronco!

Sorprendida y satisfecha, arrojó otra nuez. ¡Y esa también cayó dentro del árbol! Rosa aplaudió emocionada. Luego tomó otras cinco nueces y las arrojó. Dos fallaron, pero ¡tres cayeron en el hueco!

—¡Qué divertido! —exclamó—. Y entre más nueces logre meter, ¡más ayudaré a las ardillas!

En ese momento llegó Flora, una de las tías de Rosa.

–Ya te tardaste bastante, querida.

–Lo siento –respondió Rosa–. Estaba jugando y perdí la noción del tiempo.

–¿A qué juegas? –le preguntó Flora.

–Estoy tratando de arrojar nueces al hueco de ese árbol –explicó Rosa mientras lo señalaba–. Es divertido y, además, ayuda a las ardillas –entonces le dio algunas nueces a su tía–. ¿Por qué no lo intentas?

Flora arrojó la nuez con fuerza... Y fue a dar más allá del árbol.

–No soy muy buena para esto –dijo con un suspiro.

–No te desanimes, tía Flora –le dijo Rosa–. Inténtalo de nuevo.

Flora tomó una nuez, apuntó y luego la arrojó con más cuidado. ¡Y logró meterla al árbol!

–¡Bien hecho! –exclamó Rosa.

Algunos minutos más tarde, llegó Primavera.

–¡Oh, así que ahí están! –exclamó–. Estaba comenzando a preocuparme –se detuvo–. ¿Qué están haciendo?

–Estamos ayudando a las ardillas –respondió Rosa.

–¡Ven a jugar! –añadió Flora.

Primavera recogió una nuez.

–¡Aquí voy! –dijo. Arrojó la nuez sin demasiada fuerza. *¡Splash!* La nuez cayó en el arroyo. Sin embargo, Primavera estaba decidida a lograrlo. Siguió arrojando nueces. Una de ellas le dio a una de las ardillas en la cabeza. El animalito se rió, pero Primavera frunció el ceño.

–¡No lo lograré nunca! –declaró.

–No te desanimes –le dijo Rosa, alentándola. Flora le dio a Primavera cinco nueces más.

Primavera tomó una, cerró un ojo y apuntó. Luego arrojó la nuez con tanta fuerza como pudo. ¡Esta vez, la nuez fue a parar directo al hueco en el árbol!

–¡Viva! –gritaron Flora y Rosa.

En ese momento llegó Fauna.

–¡Cielos! –exclamó–. Ya me preguntaba yo qué era lo que las estaba entreteniendo a todas.

–Estamos jugando –explicó Primavera–. Juega con nosotras.

–¡Es muy divertido! –le aseguró Flora.

–No, gracias –respondió Fauna mientras se sentaba en un tronco–. Solo las voy a mirar un rato.

Las demás volvieron a su juego. Esta vez, Rosa logró meter sus cinco nueces al hueco del árbol. Flora metió cuatro y Primavera tres.

–Las dos lo están haciendo mucho mejor –las felicitó Rosa. Flora y Primavera aplaudieron entre exclamaciones de júbilo.

Fauna no pudo soportarlo más.

–Creo que voy a jugar, después de todo –dijo. Tomó una nuez y la arrojó con tanta fuerza como pudo. La nuez pasó zumbando sobre el arroyo. Los pajaritos se quitaron de su paso cuando rebotó contra una rama, pegó contra el suelo y luego fue a caer directo en el hueco del árbol. Las otras la vitorearon.

–¡Sí que fue divertido! –declaró Fauna mientras daba saltitos–. ¡Quiero volver a intentarlo!

–Es mi turno –objetó Flora.

Pero Fauna no se quitó. Puso una rodilla en el suelo. Luego miró a la derecha, después a la izquierda, y arrojó otra nuez.

Otra vez, la nuez botó, rebotó y fue a parar al hueco del árbol.

–¡Sí! –exclamó Fauna–. ¡Mi tiro de fantasía funcionó!

–¿*Tiro de fantasía?* Fue un tiro de *suerte* –gruñó Flora.

Fauna se inclinó y se robó una nuez del montón de Flora.

–¡Esas son mías! –se quejó Flora–. Y estás en mi lugar.

–¡Oh! ¡Lo siento! –dijo Fauna. Dio un paso a un lado y chocó con Primavera.

–¡Ahora arruinaste mi tiro! –se quejó Primavera cuando la nuez que acababa de arrojar cayó al suelo.

–No fue a propósito –protestó Fauna.

–Sí que lo fue –insistió Primavera.

Rosa miró a sus tías con desaliento. Se habían estado divirtiendo tanto... y ahora, de pronto, todas estaban enfadadas. ¿Qué podía hacer?

—Estamos ayudando a las ardillas y pasando un buen rato —les hizo ver Rosa a sus tías—. ¿Recuerdan?

Sus tías solo fruncieron el entrecejo.

—Todos tenemos talentos distintos. Algunas son mejores para lanzar que otras. Pero todas hicieron su mejor esfuerzo. Eso es lo importante —declaró Rosa.

–Rosa tiene razón –dijo Primavera–. Lo siento, Fauna. Estaba celosa por ese tiro tan complicado.

–Yo también –admitió Flora–. Discúlpame.

–Bueno, yo no tenía por qué presumir. Y no debí haberme cruzado en tu camino –dijo Fauna.

Todas se pusieron a trabajar y recogieron el resto de las nueces.
Rosa y sus tías llenaron sus canastas y pusieron el resto de las nueces
en el hueco del árbol.

Luego volvieron a la cabaña.

Primavera tenía nueces suficientes para hornear dos tartas.

Una vez que estuvieron en el horno, Flora le preguntó a Fauna cómo había logrado aquel primer tiro.

–Es sencillo –le aseguró Fauna poniéndose en pie de un salto–. Te lo mostraré –tomó un huevo y comenzó a estirar el brazo.

–¡No! –exclamaron todas al mismo tiempo, y se agacharon para ponerse fuera del alcance.

–Dejemos el juego para otro día –pidió Rosa con una gran sonrisa.

Disney Princesa

La Cenicienta

Los ratones perdidos

Una noche de invierno, el Príncipe llevó a Cenicienta al balcón.

–Tengo una sorpresa para ti –le dijo él. Señaló una caja color de rosa que estaba sobre una banca.

Cenicienta sacó de la caja un hermoso abrigo.

–¡Oh! ¡Es encantador! –exclamó–. ¡Gracias!

A la mañana siguiente, Cenicienta le enseñó su abrigo a Suzy, la ratoncita.

—¿No crees que el Príncipe es muy bueno conmigo? —preguntó.

—¡Qué lindo! ¡Qué lindo! —exclamó Suzy y asintió con la cabeza, mientras metía la nariz en el cálido abrigo.

Cenicienta no se dio cuenta de que Suzy estaba temblando. Aunque la habitación estaba tibia, la ratoncita acababa de bajar del ático, en donde hacía mucho frío.

En ese momento, Gus y Jaq aparecieron en la cómoda de Cenicienta. También ellos tenían frío.

–¡Cenicienta! ¡Cenicienta! –la llamaron.

Pero ella no los escuchó, porque se marchó a toda prisa para encontrarse con el Príncipe.

Pronto, llegaron varios ratones más. Todos se sentaron frente al fuego, hasta que sus dientes dejaron de castañetear. Esperaban que Cenicienta los dejara quedarse en aquella tibia habitación.

La nueva ama de llaves llegó para limpiar el cuarto. Cuando vio
a los ratones, los persiguió con una escoba.

–Un castillo no debe tener ratones. ¡Largo de aquí!

El ama de llaves era la razón por la que los ratoncitos se habían
quedado en el frío ático el día anterior. Le tenían miedo.

Los ratones corrieron a toda prisa de vuelta al ático, sin saber dónde más ir.

–¡Brrr! –suspiró Gus. ¡Necesitaban la ayuda de Cenicienta!

De pronto, *¡ZUMM!*... el jardinero abrió la puerta del ático.

Antes de que los ratones se dieran cuenta de lo que pasaba, se encontraron metidos en jaulas.

–Ahora llévatelos muy lejos, ¡para que nunca vuelvan! –ordenó el ama de llaves.

Mientras tanto, Cenicienta y el Príncipe paseaban por los terrenos del castillo.

–¡Vayamos a los establos! –dijo Cenicienta de pronto–. ¡Podemos saludar a los caballos!

–¿Y tal vez dar un paseo en ellos? –dijo el Príncipe, esperanzado.

–¡Encantadora idea! –respondió Cenicienta.

Pronto, Cenicienta y el Príncipe se encontraron montando por el campo, cerca del castillo. Vieron a un jardinero en uno de los campos.

–¡Hola! –le gritó el Príncipe. Pero el jardinero pareció no escucharlo–. Qué raro –comentó el Príncipe.

El jardinero iba a soltar a los ratones, pero le preocupaba que hiciera demasiado frío para ellos en el campo.

—No se lo digan al ama de llaves —les pidió a sus amigos—, pero voy a llevar a estos pobres ratones al establo.

Llevó a los ratones a su nuevo hogar y hasta los alimentó.

Los ratones hicieron un nido juntos, en el establo, pero conforme se hizo de noche, el lugar se puso más frío. Por fortuna, los caballos eran muy amistosos. Les dijeron a los ratones que se acomodaran en sus crines, para mantenerse calientitos.

–¡Qué agradable! –dijo Gus mientras se quedaba dormido.

Mientras tanto, Cenicienta estaba
muy preocupada. No había podido
encontrar a los ratones por ninguna parte.

Cenicienta todavía estaba buscando a los ratones cuando se encontró al Príncipe.

–¡Hola, qué tal! –le dijo el Príncipe con alegría–. ¿Andas buscando a la misma persona que yo?

–¡Seguro que no! –dijo Cenicienta–. ¡Estoy buscando a los ratones!

–¡Ah! –exclamó el Príncipe–. Yo busco a nuestra nueva ama de llaves.

Aparentemente, hoy hizo que sacaran a los ratones del castillo. ¡Creía que eran sucios!

—¡Oh, no! —exclamó Cenicienta—. No son sucios. ¡Se van a helar afuera!

–No te preocupes, querida. Los ratones han encontrado a un nuevo amigo –el Príncipe le dijo Cenicienta lo que había hecho el jardinero.

Juntos, Cenicienta y el Príncipe fueron a los establos.
Le dieron las gracias al jardinero y despertaron a los
ratones.

–¡Cenicienta! ¡Cenicienta! –gritaron los ratones
alegremente.

Algunas noches más tarde, hubo un gran baile, y el jardinero fue el invitado de honor. Al ama de llaves la mandaron a la cocina. No volvería a molestar a los ratones nunca más.

Mientras tanto, los ratones celebraron con su propio banquete. Estaban muy contentos de estar en el cálido salón de baile, con su amiga Cenicienta.

El día nevado de Jasmín

Hacía mucho calor en Agrabáh. De hecho, era el décimo día al hilo que hacía calor, y Jasmín ya no lo soportaba más.

–¿No sería agradable ir a algún sitio distinto? ¿Un lugar nuevo y... fresco? –le preguntó la princesa a su tigre mascota, Rajá.

En ese momento, Aladdín y su mono, Abú, llegaron volando al balcón de Jasmín, en la alfombra mágica. Oyeron lo que la princesa estaba diciendo.

–¡Oh, Rajá! Desearía poder viajar a otro mundo –dijo Jasmín–. Un mundo con... ¡nieve!

Aladdín decidió pedirle ayuda al Genio.

–La princesa está triste, Genio –le dijo–. ¿Hay alguna forma en la que pudieras hacer que nevara aquí? Creo que eso la haría sentir mucho mejor.

–¡Ahora mismo pongo manos a la obra, Al! –le dijo el Genio–. Con un puf, un paf y un ta–dá, ¡traeré la nieve hasta Agrabáh!

A la mañana siguiente, cuando Jasmín despertó, no podía creer lo que veía: ¡Agrabáh se había convertido en un paisaje invernal de ensueño! Una brillante nieve cubría la ciudad. ¡De hecho, hacía frío afuera! Jasmín entró en el palacio y fue a buscar un abrigo.

De pronto, aparecieron Aladdín, Abú y el Genio.

–¿Te gusta mi sorpresa? –le preguntó Aladdín–. Le pedí al Genio que cubriera Agrabáh con nieve por un día.

–¡Oh, es maravilloso! –exclamó Jasmín–. La ciudad es como un mundo completamente distinto. ¡Es un descanso tan agradable de la ola de calor!

–¡Te dije que le iba a gustar, Al! –declaró el Genio con orgullo.

–¡Tenías razón, Genio! –respondió Aladdín. Luego se volvió hacia Jasmín–. ¿Quieres salir a dar un paseo?

Jasmín saltó a la alfombra mágica, lista para su aventura nevada.

–Bienvenidos al *SS Helado* –dijo el Genio–. Esperamos que disfruten el viaje.

Primero, fueron a las pirámides, que estaban cubiertas de nieve. Aladdín y Jasmín decidieron bajar por ellas en trineo.

–*¡Yu–ju!* –gritó Aladdín mientras descendían a toda velocidad por el costado de la pirámide más alta.

–¡Oigan, chicos, miren! –gritó el Genio–. ¡Un Genio del esquí está a punto de pasarlos! –luego pasó junto a ellos en sus esquíes.

Luego, Jasmín y Aladdín construyeron un castillo de nieve. Unos minutos más tarde, el Genio y la princesa comenzaron a susurrarse cosas. De pronto, comenzaron a arrojarle bolas de nieve a Aladdín.

–¡Prepárate Abú! –advirtió Aladdín mientras comenzaba a arrojarles bolas de nieve.

–¡Oh! –exclamó Jasmín cuando un poco de nieve le cayó en el cuello. Pero rió encantada cuando su siguiente bola de nieve le dio a Aladdín en el codo.

Al principio, Abu saltó a la cabeza de Aladdín, pero entonces vio cuánto se estaban divirtiendo todos y comenzó a arrojar pequeñas bolas de nieve él también. ¡Incluso logró atinarle al Genio en la nariz!

159

Un poco más tarde, Aladdín y Abú construyeron un muñeco de nieve gigante.

—Si no supiera, diría que se trata de un Genio —le dijo el Genio—. Es un tipo guapo, pero creo que se vería mejor en azul.

Cerca de ahí, Jasmín estaba tirada en el suelo, moviendo los brazos y piernas para hacer un ángel de nieve. Cuando se levantó, Jasmín notó que le estaba dando frío.

—¡*Brrrr!* —exclamó—. Casi me hace desear de nuevo el calor del desierto.

—Bueno, el sol está comenzando a ponerse —le respondió Aladdín—. Tal vez deberíamos regresar.

Saltaron en la alfombra mágica y volaron de vuelta al palacio.

—Mira, princesa —le dijo el Genio cuando aterrizaron—, esto te calentará —y en un parpadeo, hizo una fogata.

–¡Qué espléndido día! –exclamó Jasmín mientras ella y Aladdín se sentaban junto al fuego–. Era precisamente lo que necesitaba. Muchas gracias.

–Todo por hacerte feliz –le respondió Aladdín.

Todos disfrutaron de algunos minutos más junto al fuego. Su maravilloso día nevado había llegado a su fin.

Disney
PRINCESA

La PRINCESA y el SAPO

El invitado sorpresa de Tiana

Era una hermosa tarde en Nueva Orleáns, el día perfecto para compartir una buena comida y pasar un buen rato con los amigos.

—¡Charlotte, querida! —le dijo el Sr. "Papi" La Bouff a su hija— ¿Qué te parece si vamos hoy a cenar al Palacio de Tiana?

–¡Oh, Papá! ¡Sería maravilloso! Solo dame un momento para cambiarme.

Un poco más tarde, salieron para allá. Los La Bouff no se dieron cuenta de que su perra, Stella, estaba dormida en la parte trasera del auto.

–¡Papi! ¡Charlotte! –exclamó la Princesa Tiana cuando sus amigos llegaron–. ¿Quieren sentarse con mi madre y con los padres de Naveen?

—¡Por supuesto! No se me ocurre nadie mejor para compartir mi cena que Eudora y tus suegros —le respondió Papi.

Mientras tanto, Stella había despertado. Le encantaba el aroma de los beignets de Tiana. Así que siguió su olfato justo hasta la cocina del restaurante.

–¿Qué tenemos aquí? –exclamó uno de los cocineros. ¡Un visitante! Aquí tienes, cachorrito... prueba un poco de este gumbo. ¡Es una receta nueva!

Stella pasó una tarde muy feliz en la cocina. Mientras Charlotte y Papi cenaban disfrutando de la música de jazz y de la charla con sus amigos, a Stella le estaban dando todo tipo de delicias.

Al terminar la velada, los padres del Príncipe Naveen se
prepararon para marcharse y se ofrecieron para llevar a Eudora
a su casa. Charlotte y Papi se habían marchado hacía algunos
minutos, sin Stella.

—¡Muchas gracias! —dijo Eudora. Se volvió a la Princesa Tiana y comentó:

—Nunca había escuchado a la banda tocar tan bien. Y ese nuevo gumbo es absolutamente delicioso. Te veré luego, querida.

Minutos más tarde, Louis y la banda fueron a la cocina por su cena.

¡Grrr! ¡Guau! Stella se aterrorizó al ver al gigantesco lagarto.

–¡Oh! ¡Espera un momento, perrito! –le dijo Louis a Stella–. No estoy aquí para comerte. ¡Solo quería una probadita del nuevo gumbo del chef!

El personal de la cocina retrocedió.

Tiana y Naveen escucharon la conmoción. Cuando llegaron a la cocina, vieron que tanto Stella como Louis parecían asustados.

–Stella, ¿qué haces? –preguntó Tiana mientras acariciaba a la perrita–. No te preocupes. Louis es nuestro amigo. Él no lastimaría a nadie.

–¡Es cierto! –aseguró Naveen–. No es nada más que un grandulón con un corazón todavía más grande.

Stella se acercó cautelosamente a Louis. Una vez que se dio cuenta de que era inofensivo, se relajó. Entonces notó el aroma de un delicioso pollo.

Tiana sonrió.

—Vamos a darles de cenar a todos.

No tardaron mucho en organizar una cena con todos los
sobrantes de la noche.

El personal comió mientras que el Príncipe Naveen tocaba el ukelele. Tiana preparó incluso algunos de sus beignets especiales, solo para Stella.

Antes del amanecer, el príncipe y la princesa fueron a dejar a Stella a la casa de Charlotte. ¡Nadie había notado su ausencia todavía!

—Buenas noches, Stella —le dijo la Princesa Tiana y le dio a la perrita un gran abrazo—. Ahora que sabes cuánto nos divertimos en el restaurante, debes venir a visitarnos más seguido.

¡Guau! ¡Guau! —ladró Stella. La perrita sabía que volvería al Palacio de Tiana en cuanto tuviera otra oportunidad.

![Disney Princesa]

LA SIRENITA

Sueños bajo el mar

La gruta secreta era el lugar preferido de Ariel en todo el mar. Era el sitio donde guardaba todos los objetos que había encontrado y que provenían de la superficie. Se sentía fascinada por los humanos, aunque su padre le había prohibido tener nada que ver con ellos.

Durante su último viaje a la superficie, Ariel había rescatado a un apuesto príncipe llamado Eric, durante una terrible tormenta que había hundido su barco. Se había enamorado de él, pero como era humano, se marchó antes de que pudiera verla.

Un poco más tarde, Flounder, el pez amigo de Ariel, encontró una estatua del Príncipe Eric y sorprendió a la sirenita con ella. Ariel nadó hasta la estatua y comenzó a hablarle.

–¡Ariel! –exclamó Sebastián, un cangrejo que era el consejero de su padre–. Contrólate. Ese no es un humano. ¡Es solo un pedazo de roca!

Ariel no le hizo caso.

–La estatua dice que, si nos disculpan, tiene algo que le gustaría decirme.

Ariel colocó la cabeza en el hombro de la estatua y fingió que le respondía.

–Pero claro que sí. Con gusto me casaré contigo, Eric.

–¿Casarse? –rugió Sebastián cuando nadó de vuelta a la gruta–. No harás semejante cosa. En nombre de su Real Majestad, el Rey Tritón, te prohíbo hablar de semejante manera.

–¡Oh, Sebastián! –le dijo Ariel con impaciencia– Es solo una estatua, ¿recuerdas? Solo estoy jugando. No te preocupes y por favor, no le digas nada a mi padre, ¿sí?

Sebastián aceptó con renuencia.

–Estoy seguro de que voy a lamentarlo –se quejó.

–Podemos casarnos aquí mismo, en la gruta –dijo Ariel–. ¡Hay tanto que hacer! Pero los dos me ayudarán, ¿no es cierto?

–¿Ayudarte con qué? –preguntó Sebastián mientras Ariel le pasaba algunas algas para decorar el lugar–. Es solo un juego. Lo dijiste tú misma.

–¡Ah! Pero las bodas soñadas requieren de tanto trabajo como las de verdad –insistió Ariel–. ¡Todo tiene que ser perfecto!

–Creo que el Príncipe Eric está vestido perfectamente para una boda –continuó Ariel.

–¡Esto jamás funcionará! El verdadero Príncipe Eric es humano –declaró Sebastián–. ¡Vive en tierra firme! Y cualquier habitante del mar que se respete sabe que las sirenas viven bajo el agua.

–Es posible que sea cierto –respondió Ariel–. Pero, ¿quién sabe lo que nos depara el futuro?

–¿Puedo ser el chef? –pidió Flounder–. ¿Por favor, sí?

Ariel rió.

–Por supuesto, Flounder –dijo–. Quiero que prepares los más deliciosos platillos que puedas imaginar.

–¿Qué tal un soufflé de algas marinas? ¿Y una ensalada de plancton? –preguntó Flounder.

–¡Oh, sí! –exclamó Ariel mientras imaginaba el festín–. ¡Y no te olvides del pastel de bodas!

–¡Déjamelo todo a mí! –respondió Flounder con orgullo.

–¡Será un festín de bodas como nadie ha visto jamás!

–¡Eso es seguro! –murmuró Sebastián.

–¡Oh, me muero de impaciencia! –exclamó Ariel–. Me imagino toda la ceremonia. Mis hermanas serán unas damas de honor encantadoras. Y mi padre se verá tan orgulloso y distinguido mientras...

–¡¿Tu padre?! –Sebastián parecía a punto de desmayarse.

–¡Oh, no seas un aguafiestas, Sebastián! –respondió Ariel con tranquilidad– Realmente no voy a invitar a mi familia, ya que se trata de una boda de mentiritas.

–Al menos por ahora –añadió en voz baja.

–¡Es todo! –exclamó Sebastián–. ¡No aguanto más esta tontería!

–¡Flounder! –dijo Ariel –Sebastián se marcha. ¿Se te ocurre alguien más que pueda ser el maestro director de la gran orquesta?

–¿La gran orquesta?

–preguntó Sebastián– ¡El maestro director?

–Por supuesto que tú eres mi primera opción, Sebastián –dijo Ariel–. Pero...

—¡No hay *pero* que valga! —gritó Sebastián— Un cangrejo debe cumplir con su deber. ¡La boda de mentiritas *debe* continuar!

Y tomando un candelero de la mano de Ariel, Sebastián comenzó a dirigir su orquesta imaginaria.

—¿Me concede esta pieza? —le preguntó Flounder a la sirenita, haciendo una amable reverencia.

—¡Con gran placer, amable señor! —rió Ariel. Ella y Flounder bailaron, dando vueltas y más vueltas, hasta que los dos se sintieron mareados.

Esa tarde, Ariel se estaba probando un velo que había hecho, cuando Flounder llegó con un collar de perlas.

—¡Oh, Flounder, es hermoso! —declaró Ariel, encantada.

—Es de una amiga —le dijo Flounder—. Me dijo que me lo prestaba.

Ariel echó una mirada a su alrededor. Con la conchilla que usó para decorarse el cabello, tenía algo viejo. El velo que acababa de hacer era algo nuevo. Las perlas eran su "algo prestado". Y un brazalete que había encontrado era su "algo azul".

–¡Es todo lo que una novia necesita! –exclamó Ariel.

A la mañana siguiente, Sebastián siguió a Ariel, muy nervioso, mientras ella se dirigía a la gruta.

–Espero que nadie nos vea –dijo.

–No te estarás arrepintiendo, ¿verdad Sebastián? –le dijo Ariel en tono de broma.

–Seguro que no –replicó Sebastián–. La orquesta estará lista para cuando la necesites.

–¿Están listos? –dijo Flounder cuando Ariel y Sebastián llegaron a la gruta. La sirenita asintió y el pez la escoltó por el pasillo, mientras la orquesta tocaba la "Marcha nupcial".

Entonces ocurrió algo inesperado: Sebastián comenzó a llorar.
Ariel lo miró sorprendida.

—Las bodas siempre me hacen llorar —explicó el cangrejo
encogiéndose de hombros.

Entonces, Sebastián se aclaró la garganta y pasó al frente de la gruta.

—Princesa Ariel, ¿aceptas a esta... eh... a esta estatua como tu... ahora, escucha bien esta parte, señorita... como tu esposo *de mentiritas*?

—¡Acepto! —respondió Ariel con alegría.

—Y usted, señor príncipe de mentiritas, ¿acepta a esta princesa como su esposa de mentiritas? —dijo Sebastián. Ariel se inclinó hacia la estatua.

—Dice que sí —le dijo al cangrejo con una risita.

—Bueno, entonces, supongo que tengo que declararlos marido y mujer imaginarios —concluyó Sebastián.

—¡Viva! —exclamó Flounder.

Ariel abrazó a sus amigos, con los ojos resplandecientes, como estrellas.

–¡Oh, gracias! ¡Ha sido una boda imaginaria maravillosa! –exclamó–. Y ahora, los invito a los dos a mi boda real con el Príncipe Eric. No estoy segura de cuándo será, ni dónde ni cómo, pero sé que ocurrirá algún día. No importa que exista un océano de diferencias entre nosotros. Nada puede interponerse en el camino del verdadero amor.

Ariel suspiró llena de felicidad, al imaginar que realmente estaba casada con Eric. Y al final de la ceremonia, se darían un beso...

–*¡Aggh!* –exclamó de pronto. ¡Se dio cuenta de que en realidad estaba besando a un muy sorprendido Flounder!

–¡Ajá! –gritó Sebastián– ¿Ves lo que pasa cuando una sirena cree que puede casarse con un príncipe humano? Como si eso realmente pudiera ocurrir. . .

Pero a Ariel no le importaba lo que decía Sebastián. Ella sabía en su corazón que algún día ella y Eric vivirían felices para siempre.

Una mañana desordenada

Una mañana radiante y soleada, Blanca Nieves se encontraba en la cocina de los Siete Enanos, preparando el desayuno. Estaba moviendo el contenido de una gran olla que tenía sobre el fuego.

–Hum –dijo mientras lo olía–. La avena está casi lista. Una vez que tenga tostado el pan, todo estará preparado.

¡Pío, pío! ¡Pío, pío! Las aves cantaban mientras Blanca Nieves rebanaba un poco de pan.

–¡Oh, también ustedes quieren desayunar! –dijo Blanca Nieves con una sonrisa. Tomó un puñado de migajas de pan y, una por una, las avecillas llegaron volando para comerlas de su mano.

Cuando las aves terminaron, Blanca Nieves subió corriendo las escaleras.

–¡Dormilón, Gruñón, Doc, Tímido, Tontín, Estornudo, Feliz! –los llamó–. ¡El desayuno está listo!

Los enanos bostezaron y se estiraron.

—Mmm —dijo Feliz—. ¡Ese pan tostado huele delicioso!

—Bueno, pues yo tengo más hambre que ninguno —declaró Gruñón, refunfuñando—, así que seré el primero en lavarme.

—No —dijo Doc—. Yo quiero per el srimero... digo, *¡ser el primero!*

Gruñón y Doc tiraron los dos del cubo para lavarse. Pero se les escapó de las manos, salió volando por la habitación, y fue a caer en la cabeza de Tontín. El agua le cayó toda encima...¡estaba empapado!

—¡Huy! ¡Lo siento Tontín! —se disculpó Doc.

—¡Te dije que yo debía ir primero! —gritó Gruñón—. ¡Qué revoltijo!

Poco después, Feliz se acercó a la cómoda.

—Necesito el peine —anunció.

—No, yo necesito el peine —insistió Estornudo.

Los dos enanos tomaron el peine y comenzaron a usarlo al mismo tiempo. Feliz y Estornudo se miraron al espejo. ¡Sus barbas se habían anudado una con la otra!

—¡Oh, no! —exclamó Estornudo.

—¿Ahora qué vamos a hacer? —gritó Feliz.

Mientras trataban de soltarse, Estornudo dejó escapar un gigantesco estornudo. *¡Aa–chú!*

Fue tan fuerte que Feliz salió volando hasta el otro lado de la habitación. Por fin se habían separado. El resto de los enanos corrió al espejo, tratando de arreglarse.

–¡Me estás estorbando! –le dijo Gruñón a Dormilón, con enfado.

–¡Ese es *mi* sombrero! –le dijo Dormilón a Tímido, con un bostezo.

–Er... esa es *mi* chaqueta –le dijo Tímido a Feliz.

–¡Qué confusión! –observó Feliz. Momentos más tarde, Blanca Nieves los llamó.

–Apresúrense, ¡el desayuno se está enfriando!

Los enanos corrieron escaleras abajo, cada uno tratando de ser el primero en llegar a la mesa. Chocaron uno con otro y rebotaron todo el camino hasta el pie de las escaleras.

–¿De quién es el pie que tengo en la cabeza? –preguntó Dormilón.

–¡Estás mentado en sí! –murmuró Doc–. Digo, ¡estás sentado en mí!

–¡Qué lío! –gruñó Estornudo.

Los enanos corrieron a sus sillas. Estornudo y Feliz estiraron la mano para tomar la leche al mismo tiempo. Gruñón y Doc trataron a la vez de servirse la avena en sus tazones. Y Tontín y Dormilón tiraron del mismo trozo de pan tostado.

–¡Qué dran gesastre! Digo, *¡qué gran desastre!* –exclamó Doc. Los demás enanos se calmaron.

–Realmente es terrible –estuvo de acuerdo Blanca Nieves–. ¿Ya ven lo que pasa cuando no toman turnos? ¿Por qué no limpian todo esto mientras yo les preparo algo más de desayunar?

Después que los enanos limpiaron todo, Blanca Nieves le dio a cada uno una rebanada de pan con mermelada.

—No se preocupen —les dijo—. Hay suficiente para todos —comieron en silencio y le dieron las gracias a Blanca Nieves.

Cuando los enanos terminaron de comer, reunieron sus cosas para irse a trabajar. Iban a la mina de diamantes.

Doc tomó su linterna, Gruñón levantó su pico y Dormilón una pala. Feliz tomó su martillo y Tontín encontró una cubeta. Estornudo tomó su soga y Tímido un par de guantes de trabajo.

Todos los enanos llegaron a la puerta al mismo tiempo.

–¡Yo primero! –refunfuñó Gruñón al tiempo que empujaba a los demás.

–No, yo primero –dijo Feliz.

Blanca Nieves observó cómo todos los enanos trataban de pasar por la puerta a la vez. Pero solo lograron quedar atorados.

Blanca Nieves lo pensó un momento. Decidió que tenía que decirles algo.

–No pueden pasar todos al mismo tiempo –les dijo a los enanos. Tontín se alejó de la puerta y se sentó en la cocina. Los demás enanos lo siguieron.

–Miren lo que ocurrió esta mañana cuando todos trataron de hacer todo a la vez –les dijo Blanca Nieves–. ¿Por qué no lo intentan de nuevo, uno por uno?

–¡Qué gran idea! –gritó Gruñón–. Uno a la vez. ¡Pero yo iré primero!

–¡Ah, pero claro que no! –dijo Estornudo–. ¡El primero seré yo!

–¡No, yo! –gritó Feliz.

–¡Cielos! –exclamó Blanca Nieves mientras negaba con la cabeza– No es posible que todos sean siempre el primero. Tendrán que tomar turnos.

–Hmm –murmuró Gruñón mientras se rascaba la barba–. ¿Y cómo hacemos eso?

–La semana tiene siete días, ¿sí? –les dijo Blanca Nieves.

–Bueno, sí –dijo Doc.

–Y ustedes son siete, ¿no es cierto?

–preguntó ella.

Tontín comenzó a contar, se confundió y comenzó otra vez.

–Sí, somos siete –observó Feliz.

–Así que cada semana,

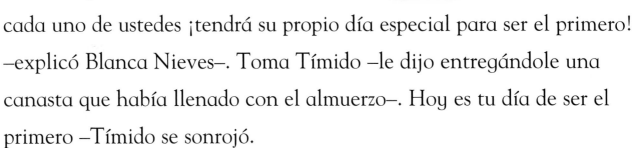

cada uno de ustedes ¡tendrá su propio día especial para ser el primero! –explicó Blanca Nieves–. Toma Tímido –le dijo entregándole una canasta que había llenado con el almuerzo–. Hoy es tu día de ser el primero –Tímido se sonrojó.

–¡Gracias! –dijo tímidamente.

Uno por uno, los enanos salieron de la cabaña. Blanca Nieves los despidió mientras ellos marchaban alegremente al trabajo. La mañana tan llena de confusión había terminado bien, después de todo.

La Bella y la Bestia

Cómo conocerse mejor

"Tal vez la Bestia tiene corazón", pensó Bella. Ese mismo día, él la había rescatado de unos lobos, en el bosque. Aunque la Bestia estaba enfadada con Bella por haber salido del castillo en contra de lo que él había ordenado, había arriesgado su vida para salvarla.

"Tal vez podría tratar con un poco más de ganas, de ser su amiga", pensó para sí.

La señora Potts la tetera, Lumiere el candelabro, y Dindón el reloj de mesa, estaban esperanzados. Si la Bestia y Bella se enamoraban, el hechizo que había convertido a todos los sirvientes en objetos caseros se rompería ¡y tanto ellos como la Bestia volverían a ser humanos!

Bella cubrió a la Bestia con una manta, pero él no dijo nada.

Esa noche, la señora Potts fue a ver a la Bestia.

—Amo, es una noche muy fría —comenzó—. ¿No le gustaría tomar una agradable bebida caliente frente a la chimenea? Estoy segura de que a Bella le encantaría tener compañía.

Con renuencia, la Bestia fue al salón y se acomodó en un sillón. La señora Potts le sirvió un poco de chocolate caliente. Bella levantó la mirada del libro que estaba leyendo.

—Buenas tardes —dijo Bella. La Bestia hizo todo lo posible por sonreír con amabilidad. Bella volvió a su libro. Pronto, se sobresaltó al escuchar un fuerte sorbido. Miró a la Bestia. Tenía un bigote de chocolate. "¡Oh, cielos!", pensó Bella.

La Bestia notó que no había sido muy amable. Desanimado, hizo a un lado la taza y se hundió en el sillón. La señora Potts se dio cuenta de lo que había pasado; estaba decidida a que Bella y la Bestia pasaran una hermosa velada.

—¿Por qué no nos lees algo, Bella? —sugirió.

–Está bien –dijo Bella. Buscó una nueva historia–. Había una vez un leñador... –comenzó ella.

–¡Qué aburrido! –la interrumpió la Bestia. Bella frunció el ceño.

–¿No hay otro cuento, Bella? –preguntó la señora Potts con gentileza. Bella hojeó el libro hasta que encontró un cuento sobre dragones que arrojaban fuego por la boca y valientes caballeros. "Seguramente este le parecerá lo suficientemente emocionante", pensó, y comenzó a leer. La Bestia se mantuvo sentada en el borde de su asiento todo el tiempo, escuchando atento cada palabra.

Bella notó lo mucho que la Bestia disfrutó el cuento y cómo, cuando comenzó a beber su chocolate de nuevo, tuvo buen cuidado de no sorber.

Al día siguiente, Lumiere y Dindón también decidieron hacer de casamenteros.

–¡Qué hermoso día para ir a dar un paseo! –exclamó Dindón después del desayuno–. ¡Miren cómo brilla el sol!

–¿Qué caso tiene salir a caminar? –repuso la Bestia–. ¡Caminar solo es útil cuando uno tiene un lugar adónde ir!

Pero antes de que Bella y la Bestia se dieran cuenta, ya los estaban apresurando a la puerta y poniéndoles sus abrigos.

–¡No hay nada más romántico que una caminata en la nieve! –dijo Lumiere con esperanza, mientras Bella y la Bestia se dirigían al bosque.

Bella y la Bestia caminaron en un silencio incómodo. Luego llegaron a un enorme trecho lleno de lodo. Mientras Bella trataba de idear una manera de pasar sin ensuciarse, la Bestia siguió caminando por el lodo, sin detenerse.

"Un caballero me habría cargado para cruzar el lodo", pensó Bella.

Pero era evidente que la Bestia no lo haría.

"¡Oh, bueno, qué remedio!" pensó mientras cruzaba el charco. Su falda, abrigo y botas quedaron cubiertos de lodo.

La Bestia se volvió para ver por qué Bella tardaba tanto. Entonces notó cómo se había ensuciado su hermoso traje.

"¡Uy!", pensó. "Supongo que tendría que haberla ayudado". El viento arreció y casi al instante, comenzó a nevar.

—Parece que viene una tormenta fuerte —advirtió la Bestia—. Será mejor regresar mientras todavía podemos ver el camino.

Bella asintió, se envolvió bien en su capa y caminó por la nieve que caía. Trató de seguirle el paso a la Bestia, pero fue quedándose atrás. Inesperadamente, la Bestia tomó a Bella de la mano.

—¡Sígueme! —le ordenó y la guió a través de la tormenta. Lumiere y Dindón observaban desde la ventana cuando los dos se aproximaron. Notaron que La Bestia llevaba a Bella de la mano.

—¡Qué romántico! —exclamó Lumiere. Bella se sintió aliviada cuando llegaron al castillo, y también sorprendida por la forma en la que la Bestia la había cuidado.

Minutos más tarde, Bella subió a su habitación, a cambiarse.

—Parece que tú y el amo se están conociendo mejor —dijo la señora Potts. Bella titubeó.

—Supongo que sí —respondió—. Él suele ser rudo y grosero... y sin embargo, está lleno de sorpresas.

Mientras tanto, en otra parte del castillo, Dindón y Lumiere ayudaban a la Bestia a secarse.

—¿Tuvo un paseo agradable, amo? —le preguntó Dindón. La Bestia titubeó.

—Sí —comenzó—. Bella puede ser bastante aburrida y correcta. Pero caminó por el lodo sin quejarse. Y no se asustó cuando quedamos atrapados en la tormenta. Es una persona sorprendente.

Esa tarde, la señora Potts preparó un encantador almuerzo y lo sirvió en el invernadero del castillo.

—Recuerde, amo —susurró Lumiere mientras la Bestia se dirigía a la mesa—, a las jóvenes les gusta que uno sea amable y educado.

—Trata de ser comprensiva —le suplicó la señora Potts a Bella—. Los modales del amo no son lo que deberían ser, pero ¡lo intenta!

Cuando llegaron a la mesa, Bella sonrió con rigidez y la Bestia logró una sonrisa falsa. Los dos se estaban cansando de tratar de comportarse lo mejor posible.

Les sirvieron sus bebidas y comenzaron a comer.

La Bestia tomó una pierna de pollo y comenzó a devorarla.

Pero después que Bella tomó su servilleta y se la colocó en el regazo, la Bestia tomó la suya e hizo lo mismo.

–¿No es un almuerzo delicioso? –preguntó Bella.

–*Mmpff*–respondió la Bestia, con la boca llena de comida. En ese momento, la Bestia notó que su servilleta se había caído al suelo. Se agachó para levantarla y, accidentalmente, derribó la mesa cuando trató de volver a sentarse. ¡Un pan voló de su plato y golpeó a Bella en la cara!

"*¡Oh, no!*", pensó la Bestia. Hasta él sabía que arrojar comida no era ni amable ni educado. ¡Aquel almuerzo era un desastre! Estaba a punto de disculparse, cuando vio una sonrisa juguetona en el rostro de Bella. Para su sorpresa, ¡ella le arrojó el pan a él!

¡Pum! Le dio en una oreja. Bella le echó un vistazo a la expresión de sorpresa en el rostro de la Bestia y soltó una carcajada.

Cuando la señora Potts, Lumiere y Dindón fueron a ver cómo estaban, no podían creer lo que veían. ¡La habitación era un desastre! Había comida por todas partes, en el suelo, en las cortinas, en las ventanas. Parecía que habían tenido una guerra de comida. Pero lo más sorprendente de todo era que ¡Bella y la Bestia no podían dejar de reír!

–¡U–la–lá! –exclamó Lumiere– ¿Qué pasó aquí?

La señora Potts sonrió con astucia.

–Creo que descubrieron lo que nosotros olvidamos: ¡la verdadera manera de hacer amigos es relajarse y ser tú mismo! Parece que eso fue precisamente lo que hicieron.

Esa noche, Bella y la Bestia se arreglaron y disfrutaron de una encantadora cena juntos.

Después, Bella le enseñó pacientemente a la Bestia, a bailar. Él escuchó con atención todo lo que ella le decía, y pronto, los dos se deslizaban por el salón de baile… por fin en sintonía uno con el otro.

La Bella Durmiente

Un momento memorable

La Princesa Aurora suspiró. Le encantaba estar casada con el Príncipe Felipe, pero la vida en el palacio era muy diferente a lo que ella estaba acostumbrada. Tres hadas buenas, Flora, Fauna y Primavera, la habían criado en una cabaña en el bosque, para protegerla de un maligno hechizo. Entonces, Aurora había tenido mucho que hacer, desde cocinar y limpiar, hasta salir a dar paseos y pasar tiempo con sus amigos, los animales del bosque.

Ahora que vivía en el palacio, parecía que lo único que hacía era organizar y asistir a fiestas. Esa noche habría otro baile real más, y todos estaban muy ocupados con la organización. El chef real no podía decidir qué escultura de hielo presentar.

El florista real y la encargada de las mesas no se ponían de acuerdo acerca de las flores. Mientras todos ellos discutían, llegó el Príncipe Felipe.

—Hola, querida mía —le dijo. Aurora sonrió y le dio un abrazo. La encargada de las mesas y el florista se molestaron por la interrupción.

–Princesa Aurora –dijo el florista real–, ¿podría por favor, decirle a la encargada de las mesas real que debe poner las flores en el centro de cada mesa esta noche?

–Princesa Aurora –dijo la encargada de las mesas real–, ¿podría explicarle al florista real que nuestros invitados no podrían verse las caras si ponemos unos arreglos tan grandes en el centro de cada mesa?

–¿Por qué no ponen una sola flor en cada mesa? –sugirió Aurora. Los dos sirvientes la miraron, horrorizados.

–¿Una sola flor? –exclamaron. Felipe se aclaró la garganta.

–¡Ejem! –dijo.

–Eso es todo, gracias –les dijo Aurora a los sirvientes. Se volvió hacia Felipe–. Me da tanto gusto verte...

–Discúlpeme, Princesa Aurora –el mayordomo real hizo una caravana–. Pero necesito su aprobación para el diagrama de dónde se sentará cada invitado.

–Gracias –dijo la princesa–. Lo veré...

–En cuando regresemos –concluyó el Príncipe Felipe.

Tanto Aurora como el mayordomo miraron a Felipe, sorprendidos.

–¿Adónde vamos? –preguntó Aurora. Felipe le sonrió.

–A dar un paseo en caballo... solos –la princesa sonrió. Era precisamente lo que había esperado que dijera. Aurora se apresuró a cambiarse de ropa.

Cuando Felipe y Aurora estuvieron listos, el príncipe recordó algo.

–Lo siento querida mía –dijo–. Había olvidado que los reales guardias ecuestres deben acompañarnos.

Aurora vio con tristeza los diez jinetes que iban detrás de ellos. Entonces se inclinó y le susurró algo a Sansón, el caballo de Felipe. El caballo relinchó y salió disparado del palacio. El caballo de Aurora, Mirette, galopó tras ellos. En poco tiempo, los guardias reales quedaron muy atrás.

–¡*Eeeh! ¡Detente,* Sansón! –le gritó el príncipe a su caballo mientras este corría a toda velocidad.

–¡Está bien, Felipe! –le gritó Aurora.

Galoparon hasta el bosque y Sansón encontró un sendero entre los árboles. Lo siguió un momento y luego se detuvo repentinamente. Felipe salió disparado por encima de la cabeza de Sansón y aterrizó en un arroyo.

–¡Hoy no hay zanahorias para ti, muchacho! –riñó el Príncipe Felipe a su caballo. Levantó la mirada y vio que Aurora trataba de ocultar una sonrisa. Él sonrió.

–¿Recuerdas este lugar? –le preguntó Aurora un poco después. Felipe salió del arroyo y miró el claro a su alrededor. Se quitó las botas y les sacó el agua. Luego las puso a secar al sol.

Aurora también se quitó los zapatos. Dio vueltas con gracia, tarareando una tonada.

–Sí –le dijo el príncipe con suavidad–. Recuerdo este lugar. Es donde nos conocimos. Te oí cantar dulcemente y luego bailamos juntos por primera vez.

–Jamás olvidaré ese día –dijo Aurora–, sin importar lo ocupados que estemos con nuestros deberes reales.

El Príncipe Felipe sonrió.

–Tampoco yo. Cuando estoy contigo, el resto del mundo desaparece.

Felipe y Aurora sonrieron, deseando poder llevar la tranquilidad de aquel claro del bosque al palacio. Su momento de tranquilidad terminó cuando llegó la caballería real.

Felipe se puso sus botas y su capa. Luego tomó una flor del campo y se la entregó a Aurora.

Aurora tomó el regalo con alegría.

–Tenemos que regresar y preparar todo para el baile –dijo ella.

–Adelántate querida –le dijo Felipe–. Volveré pronto.

Aurora asintió. Cuando iban de regreso al palacio, se le ocurrió una sorpresa para su esposo. Mientras tanto, Felipe también había tenido una idea.

–Ni una palabra de esto a la princesa –le dijo a los amiguitos animales de Aurora mientras comenzaba a reunir algunas flores.

En el castillo, la princesa Aurora trabajó en la sorpresa de Felipe durante el resto de la tarde. Los sirvientes movieron las mesas, colocaron manteles y reunieron flores. Flora, Fauna y Primavera revolotearon por el lugar, ayudando siempre que podían.

Más de una vez, Aurora escuchó murmurar a un sirviente:

—Nuestros invitados ciertamente se van… a llevar una sorpresa.

Aurora solo sonrió.

—Al que quiero sorprender es al Príncipe Felipe —dijo ella—. No le digan una sola palabra de esto.

Esa noche, Aurora acababa de vestirse cuando el Príncipe Felipe llegó a la habitación. Le tendió una sencilla corona que él mismo había hecho con flores del claro.

—¿Quieres ponerte esta también? —le pidió él.

—¡Oh, Felipe! —Aurora se puso la corona de flores y abrazó a su esposo—. Es perfecta para esta noche. ¡Qué encantador regalo!

Aurora tomó a Felipe de la mano.

—Yo también tengo una sorpresa para ti —condujo al príncipe escaleras abajo, hasta el patio.

El patio estaba decorado con árboles y flores. El agua danzaba en la fuente. Los amigos del bosque de Aurora también estaban ahí.

–El claro siempre estará en nuestros corazones –le susurró Aurora–, pero ahora también está en nuestro palacio.

En ese momento llegó el padre de Felipe, el Rey Humberto.

–Esto es mucho mejor que los bailes atestados a los que
generalmente asisto –le dijo a la Princesa Aurora–. ¡Gracias por
todo tu arduo trabajo, querida mía!

Felipe tomó a Aurora de la mano y la condujo al centro del patio.

–Es hermoso, Aurora. Muchas gracias.

Aurora le sonrió a su esposo y comenzaron a bailar. Al igual que el día en que se conocieron, aquel también sería un momento para recordar.

Una sorpresa mágica

La alfombra se detuvo frente a la mesa del té. Luego comenzó a moverse de un lado al otro y a sacudir las borlas que tenía en las esquinas. Parecía estar tratando de decirle algo a Jasmín.

–¿Qué sucede? –preguntó ella.

La alfombra mágica hizo una juguetona pirueta. Jasmín se dio cuenta de que quería que ella subiera a bordo.

–¡Oh, bueno! –dijo por fin la princesa– Ya que Aladdín no anda por aquí, bien puedo ir a dar un paseo.

La alfombra mágica se colocó a sus pies, ansiosa, y salió volando con ella. Jasmín se despidió rápidamente de Rajá y se marchó.

–¡Oh, alfombra mágica, es muy hermoso aquí arriba!
–dijo contenta la princesa mientras la
alfombra la elevaba por el cielo.

Volaron sobre el palacio y sobre el
desierto. Pero después de un rato, Jasmín
comenzó a pensar en Aladdín.
Ella siempre paseaba en la
alfombra mágica con él.
Simplemente no era lo mismo sin él.

Jasmín decidió buscar a su esposo,
así que le pidió a la alfombra mágica
que sobrevolara la ciudad. Sin embargo,
una hora después, todavía no había ni rastros de Aladdín.

–¿Crees que debamos regresar a casa? –preguntó Jasmín. La
alfombra mágica sacudió sus borlas y enfiló de regreso.

Pronto, la alfombra mágica aterrizó en medio del jardín del palacio. De repente, todos los amigos y familiares de Jasmín salieron de detrás de los arbustos.

–¡Sorpresa! –gritaron todos.

–¡Oh, cielos! –exclamó Jasmín emocionada. De inmediato vio a Rajá y a su padre. Luego, notó que había decoraciones por todos lados... el Genio tenía puesto un gorrito de colores. Parecía que todos le estaban dando una fiesta sorpresa.

"¿Me pregunto por qué?", pensó Jasmín. "No es mi cumpleaños ni es día de fiesta. Y me pregunto dónde estará Aladdín".

—¿Como un diamante? —propuso Doc. Blanca Nieves asintió feliz.

—Sería encantador —respondió ella. Doc sonrió.

—No te preocupes, Blanca Nieves. Yo mismo muscaré el bejor de todos... quiero decir, *buscaré el mejor* ¡yo mismo!

Gruñón frunció el ceño y miró con enfado a Doc.

Sin embargo, Blanca Nieves no se dio cuenta.

—¡Ah, gracias! —les dijo—. Ahora, ¿quién quiere un poco de tarta de grosella? La horneé yo misma esta mañana, antes de que la cocinera se levantara. Blanca Nieves sacó una tarta de la canasta que había llevado y les sirvió a los enanos.

—¡Mmm, es deliciosa! —exclamó Feliz.

Después de una agradable visita, Blanca Nieves se despidió.

—Los veré mañana —les dijo. Luego se despidió de sus amigos y se marchó de vuelta al palacio. Gruñón se volvió hacia Doc.

—¿Así que no crees que el resto de nosotros pueda encontrar un diamante para Blanca Nieves? Ni siquiera ofreciste dejarnos ayudar. ¡Ya veremos quién encuentra el mejor diamante! —añadió y se marchó, enfadado.

Toda la noche, Gruñón estuvo planeando en qué parte de la mina buscar para encontrar el diamante perfecto para Blanca Nieves. ¡Estuvo despierto tanto tiempo pensando en eso, que se quedó dormido! Cuando despertó, los demás enanos ya se habían marchado.

—¡Repámpanos! —gritó Gruñón. Salió por la puerta a todo correr... ¡y chocó con el Príncipe!

—Bueno, hola, Gruñón —le saludó el Príncipe con una caravana—. Me alegra encontrarte en casa, porque tengo que pedirte un favor. Amo tanto a Blanca Nieves que quiero darle el obsequio más precioso que pueda encontrar para celebrar nuestro aniversario. Le mandé hacer una corona y me gustaría poner en el centro de ella un hermoso diamante.

Gruñón sacó el pecho, con orgullo.

—¡Encontraré el diamante más hermoso y reluciente de toda la mina!

—Sería maravilloso —le dijo el Príncipe—. Reunámonos aquí esta noche.

En la cabaña de los enanos, Blanca Nieves había estado ocupada
cocinando todo el día. Acababa de poner la mesa cuando llegó el
Príncipe.

–Hola –lo saludó Blanca Nieves con una sonrisa–.
Mi regalo estará aquí muy pronto. Luego podremos
cenar.

—Me parece maravilloso, querida mía —le dijo el Príncipe. En ese momento llegaron los enanos. Doc cuidadosamente sacó la bolsa en la que estaba su diamante y la puso delante de Blanca Nieves, mientras que Gruñón le entregó la suya al Príncipe.

Blanca Nieves y el Príncipe se miraron con sorpresa. El Príncipe levantó su bolsa.

–Creo que pensamos lo mismo –dijo–. Este es mi regalo para ti. Es para tu corona. Gruñón me ayudó a encontrarlo.

Gruñón arrugó su gorra y se miró los zapatos. Deseaba haber encontrado un obsequio mejor para la princesa.

–¡Oh, querido! –Blanca Nieves le dijo al Príncipe mientras examinaba el diamante roto–. ¡Qué peculiar!

–Sí –dijo el Príncipe, decepcionado–. Peculiar.

–Yo también tengo algo para ti –le dijo Blanca Nieves mientras le entregaba su bolsa al Príncipe. El Príncipe abrió la bolsa y sacó la otra parte del diamante.

–¡Oh, vaya! –exclamó Blanca Nieves sorprendida. El Príncipe le apretó la mano a Blanca Nieves.

–Es hermoso, querida mía, porque tú me lo obsequias –le dijo.

Tontín se acercó a la mesa y señaló el diamante de Blanca Nieves y el del Príncipe.

–Sí, son hermosos, Tontín –dijo Blanca Nieves. Ella le dio unos golpecitos en el brazo. Tontín negó con la cabeza y señaló cada una de las dos piezas otra vez.

–Lo siento –le dijo el Príncipe a Tontín–. No comprendo.

Mientras el Príncipe y Blanca Nieves observaban, Tontín unió las dos piezas del diamante.

–¡Oh, mira! –exclamó Blanca Nieves– ¡Es un corazón! Los diamantes son precisamente como nosotros, dos mitades que juntas, ¡son perfectas!

–¡Tienes razón! –exclamó el Príncipe.

La noche siguiente, en el baile de aniversario, Blanca Nieves y el Príncipe bailaron alegremente mientras el diamante con forma de corazón relucía muy cerca. Siempre les recordaría a ambos su maravilloso primer aniversario.

LA SIRENITA

Ariel y la carrera de caballos marinos

El Rey Tritón, gobernante de todos los océanos, salió hecho una furia al patio del palacio. –¡Ariel! –gritó estrepitosamente, llamando a su hija. La joven sirena estaba por ahí, montando a su caballo marino, Tormenta. –¡Oh, oh! –exclamó Ariel con preocupación–. Se oye molesto –hizo que Tormenta diera vuelta y se dirigió hacia el patio. El Rey Tritón miró a Ariel, furioso.

–¿Cómo es eso de que te inscribiste en la carrera de caballos marinos anual? –exigió–. Es una competencia peligrosa... ¡no es para niñas! Ninguna sirena ha competido jamás.

Ariel levantó la barbilla, desafiante.

–Las sirenas también montan caballos marinos, papá –le respondió la princesa–. Y Tormenta puede ser pequeño, pero es muy veloz. Sé que podemos ganar la carrera, si nos dejas participar.

–¡Absolutamente no! –le gritó el Rey Tritón.

–¡Pero, papá...! –suplicó Ariel.

–No, Ariel. ¡Te prohíbo que participes en la carrera! –dijo con severidad. Ariel y Tormenta se marcharon lentamente por el patio. La sirenita sabía que su padre jamás cambiaría de opinión.

Ariel merodeó melancólica toda la semana, por la pista de carreras de caballos. Su mejor amigo, Flounder, trató de animarla.

–El trofeo de la carrera realmente no es tan bonito –le dijo Flounder–. Ya sé lo que te animará... vamos a buscar algunos bocochos o cachivaches.

Pero esta vez, Ariel no estaba interesada en buscar objetos humanos que hubieran caído al mar. Solo podía pensar en una cosa: la carrera.

–¡Es que no es justo! –exclamó–. ¡Sé que puedo ganar!

–Sí –estuvo de acuerdo Flounder–. Si no fueras una chica, de seguro tu padre te dejaría participar.

–¡Eso es! –exclamó Ariel–. Dejaré de ser una sirena... seré Arrol, ¡el tritón! Flounder, ¡eres un genio!

Ariel revolvió por todo el palacio, en busca de un uniforme de carreras y un casco. Al dar vuelta a una esquina, se encontró directo con el consejero de su padre, el cangrejo Sebastián.

—Adolescentes —murmuró Sebastián—, siempre con prisas.

—Lo siento —dijo Ariel—. Supongo que estaba pensando en las carreras.

—Igual que tu padre —le dijo el cangrejo mientras se acomodaba el caparazón—. No deja de ir al armario a ver su viejo uniforme de carreras. ¿Sabes? Cuando tenía tu edad, participó en su primera competencia.

Ariel estaba muy sorprendida. El Rey Tritón nunca le dijo que había participado en la carrera alguna vez.

—¡Gracias, Sebastián! —dijo Ariel. ¡Ahora sabía dónde encontrar un uniforme para la carrera!

La mañana de la carrera, Ariel fue a la línea de salida, con Tormenta. Llevaba puesto el uniforme de carreras de su padre y tenía el cabello oculto debajo del casco. Nadie la reconoció.

El Rey Tritón levantó su tridente. Una chispa saltó del tridente y los caballos marinos arrancaron. Los corredores los condujeron por el agua a una velocidad tremenda. Cuando llegaron al arrecife de coral, muchos de los más rápidos y poderosos caballos marinos no pudieron pasar por las pequeñas aberturas que había entre los corales.

Pero Tormenta era pequeño y Ariel era valiente, de modo que pasaron sin problemas entre el arrecife. En poco tiempo, habían tomado la delantera.

Ariel gritó de alegría cuando su caballo tomó a toda velocidad la siguiente vuelta. ¡Pero esta vez lo hizo demasiado rápido! El casco de Ariel golpeó el coral y se le cayó. Su largo cabello rojo flotó tras ella mientras entraban en una oscura caverna.

Otro competidor, Carpa, vio desde atrás el cabello rojo de Ariel.

–¡Una sirena! –exclamó incrédulo. Hizo correr su caballo tan de prisa como pudo, tratando de pasarla.

En la caverna estaba completamente oscuro, pero Ariel y Tormenta conocían el camino. Habían estado ahí muchas veces antes, en busca de tesoros.

De pronto, Ariel y Tormenta escucharon a alguien. Era Carpa. ¡Se les estaba acercando!

Tormenta salió de la cueva a una velocidad récord. Se dirigió a la última parte de la carrera.

Ariel y Tormenta nadaron por encima y por debajo de unos obstáculos hechos con algas marinas. Ahora toda Atlántida podía verlos. La multitud se quedó sin aliento al ver a la princesa pasar, con Carpa justo a su lado. El Rey Tritón se levantó de su palco real, con una expresión de completa sorpresa en el rostro.

–¡Vamos, Tormenta! –le urgió Ariel. Con un último impulso, el caballo marino cruzó la línea de meta. ¡Él y Ariel habían ganado!

–¡Viva! –rugió la multitud. Incluso Carpa aplaudió. La sirena lo había derrotado con todas las de la ley.

Ariel sonrió y saludó. Entonces vio a su padre.

–Lo siento, papá... comenzó.

–No, Ariel, yo soy el que lo siente –la interrumpió el Rey–. Había olvidado lo divertido que es competir. Solo estaba preocupado por ti. ¿Podrás perdonarme?

Ariel asintió y le dio un beso en la mejilla. Luego, lleno de orgullo, el Rey Tritón le entregó a su hija el trofeo. Todos la vitorearon, pero el Rey era el más entusiasta de todos.

Disney
PRINCESA

La Cenicienta

El anillo perdido

Había pasado exactamente un año desde que el Príncipe y Cenicienta se casaron. El Príncipe decidió hacer un espléndido baile de aniversario para celebrar la ocasión. Pero eso no fue todo.

Esa mañana, le regaló a Cenicienta un hermoso anillo de oro. Tenía un enorme zafiro, brillante y azul, la piedra favorita de Cenicienta.

El anillo era realmente hermoso y Cenicienta le daba más valor que a cualquier otra joya de su colección real. Durante el resto del día, no pudo pensar en nada más que en el Príncipe, al que amaba tanto, y en la velada encantadora que pasarían.

Esa tarde, Cenicienta se dio cuenta de que había perdido el anillo. Le quedaba un poco grande, así que seguramente se le había salido del dedo.

–¡Oh, no! –exclamó Cenicienta cuando notó que no lo tenía– ¡Mi anillo! ¿Dónde está? –revisó el suelo y todo a su alrededor, pero no lo encontró.

–No te preocupes, Cenicienta –le dijeron sus amigos, los ratoncitos Jaq y Gus–. Nosotros te ayudaremos.

–Lo único que tenemos que hacer –declaró Jaq con tranquilidad– es pensar dónde estuviste hoy. ¡Luego iremos a buscar en esos lugares!

–Sí, por supuesto –dijo Cenicienta–. ¡Es una idea maravillosa! Ahora bien... Veamos... –pensó por un momento–. Lo primero que hice después que el Príncipe me regaló el zafiro fue volver a mi habitación para escribir acerca de él en mi diario.

Así que todos corrieron de inmediato a la habitación de Cenicienta.

–¿Lo ven por alguna parte? –les preguntó a Jaq y a Gus.

–No hay anillo –dijo Jaq con un suspiro.

–Tampoco hay ningún anillo aquí –contestó Gus.

–Vamos a buscar en la cocina –propuso Cenicienta–. Ahí fue donde fui luego, para preparar un poco de té. Pero lo más parecido a un anillo que encontraron en la cocina fue una vieja rosquilla.

–Está un poco rancia –dijo Gus, con la boca llena–, pero mmm... ¡es deliciosa!

Luego fueron a la sala de música, donde Cenicienta había estado practicando una nueva canción.

Jaq y Gus revisaron el piano por dentro y por fuera. Tin, tan, tarán. Gus incluso tocó una canción, saltando sobre las teclas mientras buscaba. Pero si el anillo estaba ahí, no pudieron encontrarlo.

–Tal vez deberíamos buscar en la biblioteca –propuso Cenicienta–. Estuve ahí, leyendo al menos durante una hora esta tarde. –¡A la biblioteca! –exclamó Jaq–. ¡Vamos!

Aunque buscaron en los libros de arriba y en los de abajo, no pudieron encontrar el anillo de Cenicienta tampoco en esa habitación.

Cenicienta comenzó a ponerse nerviosa. ¡Ya casi era hora de cambiarse para el baile de aniversario! Sin embargo, aún no perdía la esperanza.

–¿Saben? También fui a los establos hoy para alimentar y cepillar a mi querido Mayor –dijo Cenicienta–. Tal vez perdí mi anillo en el establo.

Corrieron al establo y buscaron en el apartado de Mayor, revisando entre los montones y montones de paja. Gus revisó incluso el pesebre del caballo, pero aun así no encontraron el brillante anillo de zafiro de Cenicienta.

Cenicienta se rascó la cabeza.
–Solo hay un sitio más que se me ocurre que podríamos revisar –dijo–. El jardín, donde fui a recoger flores para el baile. Primero recogí algunos lirios... luego tulipanes...

Los ratones fueron de flor en flor.

Buscaron en todos y cada uno de los capullos y flores... hasta que Gus exclamó de repente:

–¡Cenicienta! ¡Lo veo! –se apresuró a llegar al suelo y recogió un objeto brillante, redondo y azul.

–¿Es el zafiro, Cenicienta? –preguntó Gus, esperanzado.

Cenicienta movió la cabeza con tristeza.

–Es sólo una canica –respondió ella.

–Humm –dijo Cenicienta–. Sé que mi anillo tiene que estar en alguna parte. Pero ya es tarde y todavía tengo que arreglarme para el baile –suspiró mientras pasaban junto al pozo, en su camino de vuelta al palacio. Entonces se detuvo y se dio vuelta.

–¡Eso es! ¡Ahora recuerdo! Cuando terminé el arreglo floral fue cuando noté que mi hermoso anillo había desaparecido. Y eso fue precisamente después de que saqué un poco de agua para llenar el florero. ¿Será posible... –dijo con los ojos muy abiertos–... que se haya caído ahí?

–Espero que no –dijo Gus, temblando. Pero Jaq solo miró al cielo.

–¡Oh! No seas tan miedoso. ¡Métete en este cubo!

297

–¿Ven algo? –les gritó Cenicienta a los ratones varios minutos más tarde.

–No sé... –dijo Jaq–. ¡Está bastante oscuro aquí! Lo único que veo son montones y montones de... *¡Iiic!*

Cenicienta tiró del cubo lo más rápido que pudo.

–¡Gracias al cielo que están bien! –exclamó al verlos–.
¿Qué vieron allá abajo?

–¡Oh, nada! –respondió Gus, taimado–. ¡Nada más que el anillo de Cenicienta!

Esa noche en el baile de aniversario, los invitados brindaron por la Cenicienta y el Príncipe.

La pareja real sirvió un poco de sidra espumosa y brindaron con Gus y Jaq, sus invitados de honor. Ellos sabían que eran afortunados no sólo por tenerse uno al otro, sino por contar con esos maravillosos y devotos amigos.